Nathalie Sarraute

Enfance

Dossier réalisé par
Fanny Gayon

Lecture d'image par
Isabelle Varloteaux

Fanny Gayon est professeur agrégée de lettres modernes et enseigne en lycée à Créteil.

Historienne d'art et documentaliste, **Isabelle Varloteaux** s'est vu confier la mission de créer et d'organiser au musée de Grenoble un centre de documentation des collections, devenu aujourd'hui très performant. Parallèlement, elle collabore à plusieurs ouvrages collectifs tels que des catalogues ou des dictionnaires artistiques sur la période contemporaine. Son engagement dans la vie des collections l'a poussée récemment à délaisser son champ documentaire pour s'investir dans l'organisation de nombreuses expositions. Elle est actuellement responsable du service des collections au musée de Grenoble.

Couverture : Witold Wojtkiewicz, *Promenade*. Musée national, Poznan.

Sommaire

Sommaire

Enfance

— Alors, tu vas vraiment faire ça? «Évoquer tes souvenirs d'enfance»... Comme ces mots te gênent, tu ne les aimes pas. Mais reconnais que ce sont les seuls mots qui conviennent. Tu veux «évoquer tes souvenirs»... il n'y a pas à tortiller, c'est bien ça.

— Oui, je n'y peux rien, ça me tente, je ne sais pas pourquoi...

— C'est peut-être... est-ce que ce ne serait pas... on ne s'en rend parfois pas compte... c'est peut-être que tes forces déclinent...

— Non, je ne crois pas... du moins je ne le sens pas...

— Et pourtant ce que tu veux faire... «évoquer tes souvenirs»... est-ce que ce ne serait pas...

— Oh, je t'en prie...

— Si, il faut se le demander : est-ce que ce ne serait pas prendre ta retraite ? te ranger ? quitter ton élément, où jusqu'ici, tant bien que mal...

— Oui, comme tu dis, tant bien que mal...

— Peut-être, mais c'est le seul où tu aies jamais pu vivre... celui...

— Oh, à quoi bon ? je le connais.

— Est-ce vrai ? Tu n'as vraiment pas oublié comment c'était là-bas ? comme là-bas tout fluctue, se transforme, s'échappe... tu avances à tâtons, toujours cherchant, te tendant... vers quoi ? qu'est-ce que c'est ? ça ne ressemble à rien... personne n'en parle... ça se dérobe, tu l'agrippes comme tu peux, tu le pousses... où ? n'importe où, pourvu que ça trouve un milieu propice où ça se développe, où ça parvienne peut-être à vivre... Tiens, rien que d'y penser...

— Oui, ça te rend grandiloquent. Je dirai même outrecuidant. Je me demande si ce n'est pas toujours cette même crainte... Souviens-toi comme elle revient chaque fois que quelque chose d'encore informe se propose... Ce qui nous est resté des anciennes tentatives nous paraît toujours avoir l'avantage sur ce qui tremblote quelque part dans les limbes...

— Mais justement, ce que je crains, cette fois, c'est que ça ne tremble pas... pas assez... que ce soit fixé une fois pour toutes, du « tout cuit », donné d'avance...

— Rassure-toi pour ce qui est d'être donné... c'est encore tout vacillant, aucun mot écrit, aucune parole ne l'ont encore touché, il me semble que ça palpite faiblement... hors des mots... comme toujours... des petits bouts de quelque chose d'encore vivant... je voudrais, avant qu'ils disparaissent... laisse-moi...

— Bon. Je me tais... d'ailleurs nous savons bien que lorsque quelque chose se met à te hanter...

— Oui, et cette fois, on ne le croirait pas, mais c'est de toi que me vient l'impulsion, depuis un moment déjà tu me pousses...

— Moi ?

— Oui, toi par tes objurgations, tes mises en garde... tu le fais surgir... tu m'y plonges...

Nein, das tust du nicht... « Non, tu ne feras pas ça »... les voici de nouveau, ces paroles, elles se sont ranimées, aussi vivantes, aussi actives qu'à ce moment, il y a si longtemps, où elles ont pénétré en moi, elles appuient, elles pèsent de toute leur puissance, de tout leur énorme poids... et sous leur pression quelque chose en moi d'aussi fort, de plus fort encore se dégage, se soulève, s'élève... les paroles qui sortent de ma bouche le portent, l'enfoncent là-bas... *Doch, Ich werde es tun.* « Si, je le ferai. »

Nein, das tust du nicht. « Non, tu ne feras pas ça... » ces paroles viennent d'une forme que le temps a presque effacée... il ne reste qu'une présence... celle d'une jeune femme assise au fond d'un fauteuil dans le salon d'un hôtel où mon père passait seul avec moi ses vacances, en Suisse, à Interlaken ou à Beatenberg, je devais avoir cinq ou six ans, et la jeune femme était chargée de s'occuper de moi et de m'apprendre l'allemand... Je la distingue mal... mais je vois distinctement la corbeille à ouvrage posée sur ses genoux et sur le dessus une paire de grands ciseaux d'acier... et moi... je ne peux pas me voir, mais je le sens comme si je le faisais maintenant... je saisis brusquement les ciseaux, je les tiens serrés dans ma main... des lourds ciseaux fermés... je les tends la pointe en l'air vers le dossier d'un canapé recouvert d'une délicieuse soie à ramages, d'un bleu un peu fané, aux reflets satinés... et je dis en allemand... « Ich werde es zerreissen. »

— En allemand... Comment avais-tu pu si bien l'apprendre ?

— Oui, je me le demande... Mais ces paroles, je ne les ai jamais prononcées depuis... «Ich werde es zerreissen»... «Je vais le déchirer»... le mot «zerreissen» rend un son sifflant, féroce, dans une seconde quelque chose va se produire... je vais déchirer, saccager, détruire... ce sera une atteinte... un attentat... criminel... mais pas sanctionné comme il pourrait l'être, je sais qu'il n'y aura aucune punition... peut-être un blâme léger, un air mécontent, un peu inquiet de mon père... Qu'est-ce que tu as fait, Tachok, qu'est-ce qui t'a pris? et l'indignation de la jeune femme... mais une crainte me retient encore, plus forte que celle d'improbables, d'impensables sanctions, devant ce qui va arriver dans un instant... l'irréversible... l'impossible... ce qu'on ne fait jamais, ce qu'on ne peut pas faire, personne ne se le permet...

Ich werde es zerreissen. «Je vais le déchirer»... je vous en avertis, je vais franchir le pas, sauter hors de ce monde décent, habité, tiède et doux, je vais m'en arracher, tomber, choir dans l'inhabité, dans le vide...

«Je vais le déchirer»... il faut que je vous prévienne pour vous laisser le temps de m'en empêcher, de me retenir... «Je vais déchirer ça»... je vais le lui dire très fort... peut-être va-t-elle hausser les épaules, baisser la tête, abaisser sur son ouvrage un regard attentif... Qui prend au sérieux ces agaceries, ces taquineries d'enfant?... et mes paroles vont voleter, se dissoudre, mon bras amolli va retomber, je reposerai les ciseaux à leur place, dans la corbeille...

Mais elle redresse la tête, elle me regarde tout droit et elle me dit en appuyant très fort sur chaque syllabe : *Nein, das tust du nicht...* «Non, tu ne feras pas ça»... exerçant une douce et ferme et insistante et inexorable pression, celle que j'ai perçue plus tard dans les paroles, le ton des hypnotiseurs, des dresseurs...

« Non, tu ne feras pas ça... » dans ces mots un flot épais, lourd coule, ce qu'il charrie s'enfonce en moi pour écraser ce qui en moi remue, veut se dresser... et sous cette pression ça se redresse, se dresse plus fort, plus haut, ça pousse, projette violemment hors de moi les mots... « Si, je le ferai. »

« Non, tu ne feras pas ça... » les paroles m'entourent, m'enserrent, me ligotent, je me débats... « Si, je le ferai »... Voilà, je me libère, l'excitation, l'exaltation tend mon bras, j'enfonce la pointe des ciseaux de toutes mes forces, la soie cède, se déchire, je fends le dossier de haut en bas et je regarde ce qui en sort... quelque chose de mou, de grisâtre s'échappe par la fente...

Dans cet hôtel... ou dans un autre hôtel suisse du même genre où mon père passe de nouveau avec moi ses vacances, je suis attablée dans une salle éclairée par de larges baies vitrées derrière lesquelles on voit des pelouses, des arbres... C'est la salle à manger des enfants où ils prennent leurs repas, sous la surveillance de leurs bonnes, de leurs gouvernantes.

Ils sont groupés aussi loin que possible de moi, à l'autre bout de la longue table... les visages de certains d'entre eux sont grotesquement déformés par une joue énorme, enflée... j'entends des pouffements de rire, je vois les regards amusés qu'ils me jettent à la dérobée, je perçois mal, mais je devine ce que leur chuchotent les adultes : « Allons, avale, arrête ce jeu idiot, ne regarde pas cet enfant, tu ne dois pas l'imiter, c'est un enfant insupportable, c'est un enfant fou, un enfant maniaque... »

— Tu connaissais déjà ces mots...

— Ah ça oui... je les avais assez entendus... Mais aucun de ces mots vaguement terrifiants, dégradants, aucun effort de persuasion, aucune supplication ne pouvait m'inciter à ouvrir la bouche pour permettre qu'y soit déposé le morceau de nourriture impatiemment agité au bout d'une fourchette, là, tout près de mes lèvres serrées... Quand je les desserre enfin pour laisser entrer ce morceau, je le pousse aussitôt dans ma joue déjà emplie, enflée, tendue... un garde-manger où il devra attendre que vienne son tour de passer entre mes dents pour y être mastiqué jusqu'à ce qu'il devienne aussi liquide qu'une soupe...

« Aussi liquide qu'une soupe » étaient les mots prononcés par un docteur de Paris, le docteur Kervilly...

— C'est curieux que son nom te revienne aussitôt, quand tant d'autres, tu as beau les chercher...

— Oui, je ne sais pas pourquoi d'entre tant de noms disparus le sien se lève... Ma mère m'avait fait examiner par lui pour je ne sais quels petits troubles, juste avant que je parte rejoindre mon père... Ce qui me fait penser, puisque à ce moment-là elle habitait Paris avec moi, que je devais avoir moins de six ans...

« Tu as entendu ce qu'a dit le docteur Kervilly ? Tu dois mâcher les aliments jusqu'à ce qu'ils deviennent aussi liquides qu'une soupe... Surtout ne l'oublie pas, quand tu seras là-bas, sans moi, là-bas on ne saura pas, là-bas on oubliera, on n'y fera pas attention, ce sera à toi d'y penser, tu dois te rappeler ce que je te recommande... promets-moi que tu le feras... — Oui, je te le promets, maman, sois tranquille, ne t'inquiète pas, tu peux compter sur moi... » Oui, elle peut en être certaine, je la remplacerai auprès de moi-même, elle ne me quittera pas, ce sera comme si elle était toujours là pour me préserver des dangers que les autres ici ne connaissent pas, comment pourraient-ils les connaître ? elle seule peut savoir ce qui me convient, elle seule peut distinguer ce qui est bon pour moi de ce qui est mauvais.

J'ai beau leur dire, leur expliquer... « Aussi liquide qu'une soupe... c'est le docteur, c'est maman qui me l'a dit, je lui ai promis... Ils hochent la tête, ils ont des petits sourires, ils n'y croient pas... — Oui, oui, c'est bien, mais quand même dépêche-toi donc, avale... » Mais je ne peux pas, il n'y a que moi ici qui sais, moi ici le seul juge... qui d'autre ici peut décider à ma place, me permettre... quand ce n'est pas encore le moment... je mastique le plus vite que je peux, je vous assure, mes joues me font mal, je n'aime pas vous faire attendre, mais je n'y peux rien : ce n'est pas encore devenu « aussi liquide qu'une soupe »... Ils s'impatientent, ils me pressent... que leur importe ce qu'elle a dit ? elle ne compte pas ici... personne ici sauf moi n'en tient compte...

Maintenant quand je prends mes repas la salle à manger des enfants est vide, je les prends après les autres ou avant... je leur donnais le mauvais exemple, il y a eu des plaintes des parents... mais peu m'importe... je suis toujours là, à mon poste... je résiste... je tiens bon sur ce bout de terrain où j'ai hissé ses couleurs, où j'ai planté son drapeau...

— Des images, des mots qui évidemment ne pouvaient pas se former à cet âge-là dans ta tête...

— Bien sûr que non. Pas plus d'ailleurs qu'ils n'auraient pu se former dans la tête d'un adulte... C'était ressenti, comme toujours, hors des mots, globalement... Mais ces mots et ces images sont ce qui permet de saisir tant bien que mal, de retenir ces sensations.

Que je cède, que je consente à avaler ce morceau sans l'avoir d'abord rendu aussi liquide qu'une soupe et je commettrai quelque chose que je ne pourrai jamais lui révéler, quand je reviendrai là-bas, chez elle... je devrai porter ça enfoui en moi, cette trahison, cette lâcheté.

Si elle était avec moi, il y a longtemps que j'aurais pu n'y plus penser, avaler sans mâcher comme j'avais l'habitude de le faire. Ma mère elle-même, telle que je la connaissais, insouciante et distraite, l'aurait vite oublié... mais elle n'est pas ici, elle m'a fait emporter cela avec moi... « aussi liquide qu'une soupe »... c'est d'elle que je l'ai reçu... elle me l'a donné à garder, je dois le conserver pieusement, le préserver de toute atteinte... Est-ce vraiment ce qui peut s'appeler « aussi liquide qu'une soupe » ? n'est-ce pas encore trop épais ? Non, vraiment, je crois que je peux me permettre de l'avaler... puis faire sortir de ma joue le morceau suivant...

Cela me désole d'imposer ce désagrément à cette personne si douce et patiente, de risquer de faire de la peine à mon père... mais je viens de loin, d'un lieu étranger où ils n'ont pas accès, dont ils ignorent les lois, des lois que là-bas je peux m'amuser à narguer, il m'arrive de les violer, mais ici la loyauté m'oblige à m'y soumettre... Je supporte vaillamment les blâmes, les moqueries, l'exclusion, les accusations de méchanceté, l'inquiétude que produit ici ma folie, le sentiment de culpabilité... mais qu'a-t-il de comparable avec celui que j'éprouverais si, reniant ma promesse, bafouant des paroles devenues sacrées, perdant tout sens du devoir, de la responsabilité, me conduisant comme un faible petit enfant je consentais à avaler ce morceau avant qu'il soit devenu « aussi liquide qu'une soupe ».

Et tout s'est effacé, dès le retour à Paris chez ma mère... tout a repris cet air d'insouciance...

— C'est elle qui le répandait.

— Oui, elle, toujours un peu enfantine, légère... s'animant, étincelant, quand elle parlait avec son mari, discutait le soir avec leurs amis, dans ce petit appartement de la rue Flatters à peine meublé et assez sombre, mais elle ne semblait pas le remarquer et je n'y faisais guère attention, j'aimais rester auprès d'eux, seulement les écouter sans comprendre, jusqu'au moment où leurs voix devenaient étranges, comme de plus en plus lointaines, et je sentais confusément qu'on me soulevait, m'emportait...

Exactement à gauche des marches qui montent vers la large allée conduisant à la place Médicis, sous la statue d'une reine de France, à côté de l'énorme baquet peint en vert où pousse un oranger... avec devant moi le bassin rond sur lequel voguent les bateaux, autour duquel tournent les voitures tapissées de velours rouge traînées par des chèvres... avec tout contre mon dos la tiédeur de sa jambe sous la longue jupe... je n'arrive plus à entendre la voix qu'elle avait en ce temps-là, mais ce qui me revient, c'est cette impression que plus qu'à moi c'est à quelqu'un d'autre qu'elle raconte... sans doute un de ces contes pour enfants qu'elle écrit à la maison sur de grandes pages couvertes de sa grosse écriture où les lettres ne sont pas reliées entre elles... ou bien est-ce celui qu'elle est en train de composer dans sa tête... les paroles adressées ailleurs coulent... je peux, si je veux, les saisir au passage, je peux les laisser passer, rien n'est exigé de moi, pas de regard cherchant à voir en moi si j'écoute attentivement, si je comprends... Je peux m'abandonner, je me laisse imprégner par cette lumière dorée, ces roucoulements, ces pépiements, ces tintements des clochettes sur la tête des ânons, des chèvres, ces sonneries des cerceaux munis d'un manche que poussent devant eux les petits qui ne savent pas se servir d'un bâton...

— Ne te fâche pas, mais ne crois-tu pas que là, avec ces roucoulements, ces pépiements, tu n'as pas pu t'empêcher de placer un petit morceau de préfabriqué... c'est si tentant... tu as fait un joli petit raccord, tout à fait en accord...

— Oui, je me suis peut-être un peu laissée aller...

— Bien sûr, comment résister à tant de charme... à ces jolies sonorités... roucoulements... pépiements...

— Bon, tu as raison... mais pour ce qui est des clochettes, des sonnettes, ça non, je les entends... et aussi des
bruits de crécelle, le crépitement des fleurs de celluloïd
rouges, roses, mauves, tournant au vent...

Je peux courir, gambader, tourner en rond, j'ai tout mon temps... Le mur du boulevard Port-Royal que nous longeons est très long... c'est seulement en arrivant à la rue transversale que je devrai m'arrêter et donner la main pour traverser... Je devance la bonne pour avoir le temps d'emplir mes poumons, ce qui me permettra de ne pas respirer l'atroce odeur... elle me donne aussitôt la nausée... qui se dégage de ses cheveux imbibés de vinaigre. Ainsi je pourrai lui donner la main comme si de rien n'était, sans risquer de la vexer... ce n'est même pas sûr qu'elle se vexerait, elle est très gentille et très simple, elle sait que ce n'est pas ma faute si je ne supporte pas l'odeur du vinaigre, mais elle, ce n'est pas sa faute non plus si les sorties à l'air frais lui donnent des maux de tête dont seul le vinaigre la préserve... Il a donc été convenu que je pourrais me tenir assez loin d'elle, sauf bien sûr pour traverser...

La voici qui s'approche, une masse informe, la tête recouverte d'un fichu grisâtre, elle me rejoint, elle tend sa main et je mets ma main dans la sienne... mes poumons sont pleins d'air, je n'ai pas besoin d'aspirer... je ne respire pas jusqu'au moment où nous posons le pied sur le trottoir de l'autre côté de la chaussée... là, aussitôt je lâche sa main et je file... S'il arrive par malheur que je n'aie pas assez d'air pour tenir tout au long de la traversée, il est hors de question que je mette la main sur mon nez... elle me l'a permis pourtant... mais il m'est impossible de le faire... je peux juste aspirer par minuscules bouffées en détournant la tête, mais sans trop la détourner, cela pourrait lui faire deviner la répulsion produite en moi... pas par elle, pas par ce qu'elle est, pas du tout par ce qu'il y a en elle, mais seulement par ce qui apparaît parfois sous son fichu entrebâillé, la peau luisante et jaunâtre de son crâne entre les mèches de cheveux trempés.

Passé les grilles du Grand Luxembourg, plus de savantes traversées, elle s'installe à une place pas loin du bassin, le dos tourné à la vaste façade blanche... Je ne sais pas lire sur la grande horloge pour savoir si c'est l'heure du goûter, mais j'observe les autres enfants et aussitôt que j'en vois un qui reçoit le sien, je me précipite... elle m'a vue venir, elle me tend ma barre de chocolat et mon petit pain, je les saisis, je la remercie de la tête et je m'éloigne...

— Pour faire quoi ?

— Ah, n'essaie pas de me tendre un piège... Pour faire n'importe quoi, ce que font tous les enfants qui jouent, courent, poussent leurs bateaux, leurs cerceaux, sautent à la corde, s'arrêtent soudain et l'œil fixe observent les autres enfants, les gens assis sur les bancs de pierre, sur les chaises... ils restent plantés devant eux bouche bée...

— Peut-être le faisais-tu plus que d'autres, peut-être autrement...

— Non, je ne dirai pas ça... je le faisais comme le font beaucoup d'enfants... et avec probablement des constatations et des réflexions du même ordre... en tout cas rien ne m'en est resté et ce n'est tout de même pas toi, qui vas me pousser à chercher à combler ce trou par un replâtrage.

Hors de ce jardin lumineux, éclatant et vibrant, tout est comme recouvert de grisaille, a un air plutôt morne, ou plutôt comme un peu étriqué... mais jamais triste. Pas même ce qui m'est resté de l'école maternelle... une cour nue entourée de hauts murs sombres autour de laquelle nous marchons à la queue leu leu, vêtus de tabliers noirs et chaussés de sabots.

Là pourtant surgissant de cette brume, la brusque violence de la terreur, de l'horreur... je hurle, je me débats... qu'est-il arrivé ? que m'arrive-t-il ?

« Ta grand-mère va venir te voir »... maman m'a dit ça... Ma grand-mère ? la mère de papa ? Est-ce possible ? Elle va venir pour de vrai ? elle ne vient jamais, elle est si loin... je ne me souviens pas du tout d'elle, mais je sens sa présence par les petites lettres caressantes qu'elle m'envoie de là-bas, par ces boîtes en bois tendre gravées de jolies images dont on peut suivre les contours creux avec son doigt, ces coupes de bois peint couvertes d'un vernis doux au toucher... «Quand arrivera-t-elle? quand sera-t-elle là?... — Demain après-midi... Tu n'iras pas à la promenade...»

Je l'attends, je guette, j'écoute les pas dans l'escalier, sur le palier... voilà, c'est elle, on a sonné à la porte, je veux me précipiter, on me retient, attends, ne bouge pas... la porte de ma chambre s'ouvre, un homme et une femme vêtus de blouses blanches me saisissent, on me prend sur les genoux, on me serre, je me débats, on m'appuie sur la bouche, sur le nez un morceau de ouate, un masque, d'où quelque chose d'atroce, d'asphyxiant se dégage, m'étouffe, m'emplit les poumons, monte dans ma tête, mourir c'est ça, je meurs... Et puis je revis, je suis dans mon lit, ma gorge brûle, mes larmes coulent, maman les essuie... «Mon petit chaton, il fallait t'opérer, tu comprends, on t'a enlevé de la gorge quelque chose qui te faisait du mal, c'était mauvais pour toi... dors, maintenant c'est fini...»

— Combien de temps il t'a fallu pour en arriver à te dire qu'elle n'essayait jamais, sinon très distraitement et maladroitement, de se mettre à ta place...

— Oui, curieusement cette indifférence, cette désinvolture, faisaient partie de son charme, au sens propre du mot elle me charmait... Jamais aucune parole, si puissamment lancée qu'elle fût, n'a eu en tombant en moi la force de percussion de certaines des siennes.

« Si tu touches à un poteau comme celui-là, tu meurs... »

— Peut-être ne l'avait-elle pas dit exactement dans ces termes...

— Peut-être... mais c'est ainsi que cela a été reçu par moi. Si tu touches à cela, tu meurs...

Nous nous promenons je ne sais où à la campagne, maman avance doucement au bras de Kolia... je reste en arrière plantée devant le poteau de bois... « Si tu le touches, tu meurs », maman a dit ça... J'ai envie de le toucher, je veux savoir, j'ai très peur, je veux voir comment ce sera, j'étends la main, je touche avec mon doigt le bois du poteau électrique... et aussitôt ça y est, ça m'est arrivé, maman le savait, maman sait tout, c'est sûr, je suis morte, je cours derrière eux en hurlant, je cache ma tête dans les jupes de maman, je crie de toutes mes forces : je suis morte... ils ne le savent pas, je suis morte... Mais qu'est-ce que tu as ? Je suis morte, morte, morte, j'ai touché le poteau, voilà, ça y est, la chose horrible, la plus horrible qui soit était dans ce poteau, je l'ai touché et elle est passée en moi, elle est en moi, je me roule par terre pour qu'elle sorte, je sanglote, je hurle, je suis morte... ils me soulèvent dans leurs bras, ils me secouent, m'embrassent... Mais non, mais tu n'as rien... J'ai touché le poteau, maman l'a dit... elle rit, ils rient tous deux et cela m'apaise...

— Tiens, maman, s'il te plaît, avale ça... Maman qui n'a pas son pince-nez, elle ne le porte que pour lire, se penche très bas pour voir ce qu'il y a dans la cuiller que je lui tends... C'est de la poussière que j'ai ramassée pour toi, elle n'est pas sale du tout, n'aie pas peur, avale-la... Tu l'as déjà fait...

— Mais qu'est-ce que tu racontes ? Mais tu es folle...

— Non. Tu m'as dit que c'est comme ça que j'ai poussé dans ton ventre... parce que tu avais avalé de la poussière... avale encore celle-ci, je t'en prie, fais-le pour moi, je voudrais tant avoir une sœur ou un frère...

Maman a l'air agacée... — Je ne sais pas ce que je t'ai dit...

— Tu m'as dit ça. Et tu as dit aussi, je t'ai entendue... tu as dit que tu serais contente d'avoir encore un enfant... Alors fais-le, maman, tiens, avale...

Maman abaisse ma main tendue... — Mais ce n'est pas cette poussière-là...

— Alors, dis-le-moi... *quelle* poussière ?

— Oh, je ne sais pas...

— Si. Dis-le...

— C'est de la poussière comme il y en a sur les fleurs...

— Sur les fleurs ? Sur quelles fleurs ?

— Je ne m'en souviens pas.

— Mais fais un effort, essaie de te rappeler...

— Oh écoute, arrête de me tourmenter avec tes questions... Tu ferais mieux de jouer, comme tous les enfants, au lieu de traîner derrière moi sans rien faire, tu ne sais plus quoi inventer, tu vois bien que je suis occupée...

Je suis assise près de maman dans une voiture fermée tirée par un cheval, nous cahotons sur une route poussiéreuse. Je tiens le plus près possible de la fenêtre un livre de la bibliothèque rose, j'essaie de lire malgré les secousses, malgré les objurgations de maman : « Arrête-toi maintenant, ça suffit, tu t'abîmes les yeux... »

La ville où nous nous rendons porte le nom de Kamenetz-Podolsk. Nous y passerons l'été chez mon oncle Gricha Chatounovski, celui des frères de maman qui est avocat.

Ce vers quoi nous allons, ce qui m'attend là-bas, possède toutes les qualités qui font de « beaux souvenirs d'enfance »... de ceux que leurs possesseurs exhibent d'ordinaire avec une certaine nuance de fierté. Et comment ne pas s'enorgueillir d'avoir eu des parents qui ont pris soin de fabriquer pour vous, de vous préparer de ces souvenirs en tout point conformes aux modèles les plus appréciés, les mieux cotés ? J'avoue que j'hésite un peu...

— Ça se comprend... une beauté si conforme aux modèles... Mais après tout, pour une fois que tu as cette chance de posséder, toi aussi, de ces souvenirs, laisse-toi aller un peu, tant pis, c'est si tentant...

— Mais ils n'étaient pas faits pour moi, ils m'étaient juste prêtés, je n'ai pu en goûter que des parcelles...

— C'est peut-être ce qui les a rendus plus intenses... Pas d'affadissement possible. Aucune accoutumance...

— Oh pour ça non. Tout a conservé son exquise perfection : la vaste maison familiale pleine de recoins, de petits escaliers... la « salle », comme on les appelait dans les maisons de la vieille Russie, avec un grand piano à queue, des glaces partout, des parquets luisants, et tout le long des murs des chaises couvertes de housses blanches... La longue table de la salle à manger où à chacun des bouts sont assis, se faisant face, se parlant de loin, se souriant, le père et la mère, entre leurs quatre enfants, deux garçons et deux filles... Après le dessert, quand ma tante a donné aux enfants la permission de sortir de table, ils s'approchent de leurs parents pour les remercier, ils leur baisent la main et ils reçoivent sur la tête, sur la joue un baiser... J'aime prendre part aussi à cette amusante cérémonie...

Les domestiques sont comme il se doit gentiment familiers et dévoués... Rien ne manque... même la vieille « nia-nia » douce et molle dans son châle et ses jupes amples... Elle nous donne pour notre goûter de succulentes tartines de pain blanc enduites d'une épaisse couche de sucre mouillé... et le cocher qui se chauffe au soleil sur le banc de bois adossé au muret dans la cour où se trouve l'écurie... j'aime grimper doucement sur ce mur derrière lui et poser mes mains sur ses yeux... « Devine qui je suis... — Je sais que c'est toi, petite friponne »... je me colle à son large dos, je passe mes bras autour de son cou, je hume la délicieuse odeur qui s'exhale du cuir de son gilet, de son ample veste, de ses cheveux pommadés, de la sueur qui perle en fines gouttelettes sur sa peau tannée et burinée...

Et le jardin... avec au fond le pré couvert de hautes herbes où nous allons toujours jouer, Lola, la plus jeune de mes cousines, qui a mon âge, son frère Petia et des enfants de voisins, d'amis... Nous pressons entre le pouce et l'index des coques jaunâtres et vides de je ne sais plus quelle plante pour les entendre éclater, nous tenons aplatie et serrée entre nos deux pouces rapprochés une herbe coupante et nous soufflons dessus pour qu'elle se mette à siffler... La tête couverte d'un long voile de mousseline blanche et ceinte d'une couronne de pâquerettes que niania a tressée, tenant à la main une baguette toute lisse, encore un peu humide, un peu verdâtre, et embaumant le bois fraîchement écorcé, je conduis la procession qui porte en terre une grosse graine noire et plate de pastèque. Elle repose dans une petite boîte sur une couche de mousse... nous l'enterrons selon les indications du jardinier, nous l'arrosons avec notre petit arrosoir d'enfant, j'agite au-dessus de la terre ma baguette magique en prononçant des incantations faites de syllabes barbares et drôles que j'ai longtemps retenues et que je n'arrive plus à retrouver... Nous irons nous pencher sur cette tombe jusqu'au jour où enfin nous aurons peut-être la chance de voir sortir de terre une tendre pousse vivante... Au fond du puits vit sous sa carapace un monstre tout petit mais très méchant, sa piqûre est mortelle, s'il sort et s'avance dans l'allée on risque de ne pas le voir, sa couleur se confond avec celle du sable...

Du visage de mon oncle ne m'est restée qu'une impression de finesse, de douceur un peu triste... nous le voyons très peu, surtout aux repas... il travaille tant.

Par contre je vois très bien ma tante, telle qu'elle m'apparaissait quand j'aimais regarder les boucles argentées de ses cheveux, son teint rose, ses yeux... les seuls yeux bleus que j'aie vus avec une nuance vraiment violette... même cet écart entre ses deux dents de devant très blanches qui avancent légèrement augmente encore son charme. Il y a quelque chose dans son regard, dans son port de tête, qui lui donne un certain air... je ne trouve aujourd'hui pour le qualifier que le mot altier... Maman dit de tante Aniouta qu'elle est une « vraie beauté ».

Elle tient une grande montre ronde dans sa main, elle pose un doigt de son autre main sur le cadran et elle me demande : Si la grande aiguille est là et la petite ici... Tu ne sais pas ? Réfléchis bien... ne lui souffle pas, Lola... Je réfléchis de toutes mes forces, j'ai peur de me tromper, je murmure une réponse hésitante et elle a un large sourire, elle s'écrie : Bien ! Très bien !

Nous sommes assis avec elle, nous, les plus petits, dans la grande calèche découverte tirée par deux chevaux, nous allons de l'autre côté du fleuve, où se trouvent les magasins, où s'élève la haute tour blanche entourée près de son sommet d'un balcon... Même de loin, de notre rive, on voit une silhouette qui se penche à la balustrade, elle émet des sons étranges qui ressemblent à des cris, à des chants. Notre calèche traverse à gué le large fleuve, l'eau monte plus haut que le marchepied, couvre presque le poitrail des chevaux, mais il ne faut pas avoir peur, il ne peut rien nous arriver, le cocher connaît bien le chemin... et nous voici enfin sur la terre ferme, les chevaux montent sur l'autre rive, nous roulons au trot sur la route blanche vers la pâtisserie, les boutiques de livres, de jouets, de souliers... ma tante examine ceux que j'ai aux pieds, déjà usés, bientôt trop petits... À toi aussi, il en faut d'autres...

Dans la chambre très claire, bleue et blanche, de ma tante, il y a sur la coiffeuse toutes sortes de flacons. Ils contiennent des parfums, de l'eau de Cologne. En voici un vide, qu'elle va jeter dans la corbeille, mais je la retiens... « S'il te plaît, ne le jette pas, donne-le-moi... »

Nous voici, le flacon et moi, seuls dans ma chambre. Je le tourne avec précaution en tous sens pour mieux voir ses lignes arrondies, ses surfaces lisses, son bouchon ovale taillé à facettes... On va commencer par enlever ce qui t'enlaidit... d'abord ce vilain ruban qu'on a noué autour de ton goulot... et puis là, sur le devant, cette épaisse étiquette jaune et luisante... je la soulève par un bout et je tire... elle s'enlève facilement, mais elle laisse à sa place une couche blanchâtre sèche et dure que j'amollis en l'humectant avec un petit chiffon ou un bout de coton trempé dans l'eau du broc, et elle se détache par minces lambeaux qui roulent sous mon doigt... mais tout n'est pas parti, il reste un fin dépôt qu'il faut gratter avec un canif, en prenant garde de ne pas rayer le verre... Voici le flacon débarrassé de tout ce qui le déparait, nu, et prêt pour sa toilette. Je l'emplis d'eau, je le secoue pour bien le vider, pour qu'il ne conserve pas la

moindre trace de ce qu'il contenait, je le savonne et puis je
le rince dans la cuvette. Après je le sèche avec ma serviette
et quand il est bien sec, je me mets à le faire luire en le
polissant avec un coin de la couverture de mon lit ou avec
un de mes vêtements de lainage. Alors il apparaît dans toute
son éclatante pureté... Je le tends vers la fenêtre pour le
présenter à la lumière, je l'emporte au jardin pour que le
soleil le fasse étinceler... le soir, je le contemple sous la
lampe... Rien ne nous menace, personne ne viendra me l'enlever, Lola ne s'occupe que de ses poupées, Petia pose sur
lui un regard vide.

J'en ai maintenant plusieurs, tous différents, mais chacun
à sa manière est splendide.

Une collection alignée sur ma cheminée, à laquelle personne d'autre que moi — on me l'a promis — n'a le droit
de toucher.

Quand j'en emporte un avec moi, je le tiens enveloppé,
je ne veux pas que des regards, des paroles frivoles puissent l'atteindre.

— Il est étrange que cette passion pour les flacons ait
disparu dès ton départ.

— C'est vrai, je n'en ai emporté aucun. Peut-être parce
que j'avais cessé d'y jouer pendant tout le temps où j'ai été
malade... une de ces maladies sans gravité, mais conta-
gieuse... était-ce la varicelle ? la rubéole ? Dans ma chambre,
un peu assombrie par un grand arbre, avec une porte
ouvrant sur celle de maman, je suis couchée dans mon petit

lit contre le mur du fond, je reconnais que j'ai beaucoup de fièvre à la présence... ils ne manquent jamais d'être là quand mon corps, ma tête brûlent... des petits bonshommes déversant sans fin des sacs de sable, le sable coule, se répand partout, ils en déversent encore et encore, je ne sais pas pourquoi ces monceaux de sable et l'agitation de ces petits gnomes me font si peur, je veux les arrêter, je veux crier, mais ils ne m'entendent pas, je n'arrive pas à pousser de vrais cris.

Quand la fièvre est tombée, je peux m'asseoir dans mon lit... Une femme de chambre envoyée par ma tante fait le ménage, refait mon lit, me lave, me coiffe, me donne à boire, me nourrit...

Maman est là aussi, mais je ne la vois qu'assise à la table en train d'écrire sur d'énormes pages blanches qu'elle numérote avec de gros chiffres, qu'elle couvre de sa grande écriture, qu'elle jette par terre à mesure qu'elle les a remplies. Ou alors maman est dans un fauteuil en train de lire...

— Sois juste, il lui est arrivé pendant cette maladie de venir s'asseoir près de ton lit avec un livre.

— C'est vrai, et pas avec un livre à elle, avec un livre à moi... je le vois maintenant, je le connaissais bien... c'était une édition pour enfants de *La Case de l'oncle Tom*. Un grand livre cartonné, illustré de gravures grisâtres. Sur l'une d'elles on voyait Élisa sautant de glaçon en glaçon avec son enfant dans les bras. Sur une autre, l'oncle Tom mourant et en face, sur l'autre page, la description de sa mort. Elles étaient toutes deux légèrement gondolées, des lettres étaient effacées... elles avaient été tant de fois trempées de mes larmes...

Maman me lit de sa voix grave, sans mettre le ton... les mots sortent drus et nets... par moments j'ai l'impression qu'elle ne pense pas beaucoup à ce qu'elle lit... quand je lui dis que j'ai sommeil ou que je suis fatiguée, elle referme le livre très vite, il me semble qu'elle est contente de s'arrêter...

— Tu sentais cela vraiment à ce moment?

— Je crois que oui, je le percevais, mais je ne portais sur elle aucun jugement... n'était-il pas naturel qu'un livre pour enfants n'intéresse pas une grande personne qui aime lire des livres difficiles? C'est seulement à la fin, quand je me suis levée, quand j'allais descendre au jardin...

Là se terminent les « beaux souvenirs » qui te donnaient tant de scrupules... ils étaient trop conformes aux modèles...

— Oui... ils n'ont pas tardé à retrouver l'avantage de ne ressembler qu'à soi... Debout dans ma chambre, encore pas très solide sur mes jambes, j'ai entendu par la porte ouverte maman disant à je ne sais qui : « Quand je pense que je suis restée enfermée ici avec Natacha pendant tout ce temps sans que personne ne songe à me remplacer auprès d'elle. » Mais ce que j'ai ressenti à ce moment-là s'est vite effacé...

— S'est enfoncé, plutôt...

— Probablement... assez loin en tout cas pour que je
n'en voie rien à la surface. Il a suffi d'un geste, d'un mot
caressant de maman, ou simplement que je la voie, assise
dans son fauteuil, lisant, levant la tête, l'air surpris quand je
m'approche d'elle et lui parle, elle me regarde à travers son
lorgnon, les verres agrandissent ses yeux mordorés, ils
paraissent immenses, emplis de naïveté, d'innocence, de
bonhomie... et je me serre contre elle, je pose mes lèvres
sur la peau fine et soyeuse, si douce de son front, de ses
joues.

Comme dans une éclaircie émerge d'une brume d'argent toujours cette même rue couverte d'une épaisse couche de neige très blanche, sans trace de pas ni de roues, où je marche le long d'une palissade plus haute que moi, faite de minces planchettes de bois au sommet taillé en pointe...

— C'est ce que j'avais prédit : toujours la même image, inchangeable, gravée une fois pour toutes.

— C'est vrai. Et en voici une autre qui apparaît toujours au seul nom d'Ivanovo... celle d'une longue maison de bois à la façade percée de nombreuses fenêtres surmontées, comme de bordures de dentelle, de petits auvents de bois ciselé... les énormes stalactites de glace qui pendent en grappes de son toit étincellent au soleil... la cour devant la maison est couverte de neige... Pas un détail ne change d'une fois à l'autre. J'ai beau chercher, comme au « jeu des erreurs », je ne découvre pas la plus légère modification.

— Ah, tu vois...

— Oui... mais je ne peux pas y résister, cette image immuable, j'ai envie de la palper, de la caresser, de la parcourir avec des mots, mais pas trop fort, j'ai si peur de l'abîmer... Qu'ils viennent encore ici, qu'ils se posent... à l'intérieur de la maison, dans cette grande pièce aux murs très blancs... le parquet luisant est jonché de tapis de couleurs... les divans, les fauteuils sont recouverts de cotonnades à fleurs... de grands baquets contiennent toutes sortes de plantes vertes... dans les fenêtres, entre les doubles vitres, est étalée une couche de ouate blanche saupoudrée de paillettes d'argent. Aucune maison au monde ne m'a jamais paru plus belle que cette maison. Une vraie maison de conte de Noël... et qui de plus est ma maison natale.

— Et pourtant quelque chose l'empêche de figurer parmi « les beaux souvenirs d'enfance » comme y avait droit la maison de ton oncle.

— Je le sais bien : c'est l'absence de ma mère. Jamais elle n'y apparaît un seul instant.

— Elle serait apparue si tu étais de ceux qui ont le don de conserver des souvenirs remontant très loin... c'est tout juste si chez certains ils ne remontent pas à leur naissance...

— Oui mais moi, je n'ai pas cette chance... rien n'est resté de ce qui a précédé mon départ d'Ivanovo, à l'âge de deux ans, rien de ce départ lui-même, rien de mon père, ni de ma mère, ni de Kolia avec qui, je l'ai su depuis, nous sommes, elle et moi, parties à Genève d'abord, puis à Paris.

Mais il n'y a pas que ma mère qui soit absente de cette maison. De tous ceux qui devaient s'y trouver quand j'y revenais de temps à autre pour quelques semaines, je ne vois que mon père... sa silhouette droite et mince, toujours comme un peu tendue... Il est assis au bord d'un divan et moi installée sur ses genoux, tournée vers les hautes fenêtres entièrement voilées d'un rideau blanc... Il m'apprend à les compter... est-ce possible ? pourtant je m'en souviens clairement... je compte jusqu'à dix, plus une, la dernière, qui fait onze...

Je me tiens debout devant lui entre ses jambes écartées, mes épaules arrivent à la hauteur de ses genoux... j'énumère les jours de la semaine... lundi, mardi, mercredi, jeudi, vendredi, samedi, dimanche... et puis, lundi, mardi... « Ça suffit maintenant, tu les sais... — Mais qu'est-ce qui vient après ? — Après tout recommence... — Toujours pareil ? Mais jusqu'à quand ? — Toujours. — Même si je le répète encore et encore ? Si je le dis toute la journée ? Si je le dis toute la nuit ? ça va revenir de nouveau, lundi, mardi, toujours ? — Toujours, mon petit idiot... » sa main glisse sur ma tête, je sens irradiant de lui quelque chose en lui qu'il tient enfermé, qu'il retient, il n'aime pas le montrer, mais c'est là, je le sens, c'est passé dans sa main vite retirée, dans ses yeux, dans sa voix qui prononce ces diminutifs qu'il est seul à faire de mon prénom : Tachok ou le diminutif de ce diminutif : Tachotchek... et aussi ce nom comique qu'il me donne : Pigalitza... quand je lui demande ce que c'est, il me dit que c'est le nom d'un petit oiseau.

J'aime passer la main sur ses joues maigres, un peu rugueuses, serrer leur peau entre mes doigts pour la soulever, chatouiller sa nuque... il me repousse gentiment... et aussi parfois, quand il ne s'y attend pas, lui donner un gros baiser dans le creux de l'oreille et voir comme assourdi il y enfonce un doigt qu'il agite en secouant la tête... fait mine de se fâcher... « Quel jeu stupide... »

Il parle souvent français avec moi... je trouve qu'il le parle parfaitement, il n'y a que ses « r » qu'il prononce en les roulant, je veux lui apprendre... Écoute quand je dis Paris... écoute bien, Paris... maintenant dis-le comme moi... Paris... mais non, ce n'est pas comme ça... il m'imite drôlement, en exagérant exprès, comme s'il s'éraflait la gorge... Parrris... Il me rend la pareille en me faisant prononcer comme il faut le « r » russe, je dois appuyer contre mon palais puis déplier le bout retroussé de ma langue... mais j'ai beau essayer... Ah, tu vois, c'est toi maintenant qui ne peux pas y arriver... et nous rions, nous aimons nous amuser ainsi l'un de l'autre...

Mon père seul reste présent partout. Il me semble maintenant que les objets autour de nous sont maniés par des
êtres invisibles.

Une cuiller ramasse avec précaution, en faisant le tour
tout au bord où c'est moins chaud, la délicieuse bouillie de
semoule au lait qui s'étale en un grand rond dans mon
assiette... la cuiller se lève jusqu'à ma bouche pour que je
souffle...

Une cuiller emplie de confiture de fraises s'approche de
mes lèvres... je détourne la tête, je n'en veux plus... elle a
un goût affreux, je ne la reconnais pas... que lui est-il arrivé ?
dans sa bonne saveur de toujours quelque chose s'est
glissé... quelque chose de répugnant s'y dissimule... elle me
fait mal au cœur, « Je ne l'aime pas, ce n'est pas de la vraie
confiture de fraises. — Mais si, voyons, tu vois bien que
c'en est »... J'examine avec beaucoup d'attention la mince
couche de confiture étalée sur la soucoupe... les fraises sont
bien comme celles que je connais, elles sont seulement un
peu plus pâles, moins rouges ou rose foncé, mais il y a sur
elles, entre elles, comme de louches traînées blanchâtres...
« Non, regardez, il y a quelque chose dedans... — Il n'y a
rien du tout, ça te semble... » Quand mon père revient, je
lui raconte que je n'en ai pas voulu, de cette confiture... elle
est mauvaise, je l'ai bien regardée, il y avait dedans des traînées blanches, des petits points blancs, elle avait un goût
écœurant... Ce n'est pas de la confiture de fraises... Il m'observe, il hésite un instant et il dit : « C'était bien de la confiture de fraises, mais ce que tu y voyais, c'était un peu de
calomel. On l'avait mélangé avec elle, on espérait que tu ne
t'apercevrais de rien, je sais que tu détestes le calomel, mais
il faut absolument que tu en prennes... »

L'impression un peu inquiétante de quelque chose de
répugnant sournoisement introduit, caché sous l'apparence

de ce qui est exquis, ne s'est pas effacée, et parfois même aujourd'hui elle me revient quand je mets dans ma bouche une cuiller de confiture de fraises.

Mon père a fait élever pour moi dans la cour devant la maison un monticule de neige bien tassée. Je l'escalade par sa pente douce et je redescends sa pente raide sur ma luge... je regrimpe et je redescends sans me lasser, mon visage brûle, une vapeur sort de mes narines, de ma bouche, tout mon être aspire l'air des grands froids.

J'ai reçu un large livre relié, tout mince, que j'aime beaucoup feuilleter, j'aime écouter quand on me lit ce qui est écrit en face des images... mais attention, on va arriver à celle-ci, elle me fait peur, elle est horrible... un homme très maigre au long nez pointu, vêtu d'un habit vert vif avec des basques flottantes, brandit une paire de ciseaux ouverte, il va couper dans la chair, le sang va couler... « Je ne peux pas le regarder, il faut l'enlever... — Veux-tu qu'on arrache la page ? — Ce serait dommage, c'est un si beau livre. — Eh bien, on va la cacher, cette image... On va coller les pages. » Maintenant je ne la vois plus, mais je sais qu'elle est toujours là, enfermée... la voici qui se rapproche dissimulée ici, où la page devient plus épaisse... il faut feuilleter très vite, il faut passer par-dessus avant que ça ait le temps de se poser en moi, de s'incruster... ça s'ébauche déjà, ces ciseaux taillant dans la chair, ces grosses gouttes de sang... mais ça y est, c'est dépassé, c'est effacé par l'image suivante.

Dans les dessins de mon livre préféré, *Max et Moritz*, avec ses vers si drôles que je sais par cœur, que j'aime scander, rien ne me fait jamais peur, même quand je vois les deux méchants garnements ficelés sur un plat, prêts à être enfournés et rôtis comme deux petits cochons de lait...

— Est-il certain que cette image se trouve dans *Max et Moritz* ? Ne vaudrait-il pas mieux le vérifier ?

— Non, à quoi bon ? Ce qui est certain, c'est que cette image est restée liée à ce livre et qu'est resté intact le sentiment qu'elle me donnait d'une appréhension, d'une peur qui n'était pas de la peur pour de bon, mais juste une peur drôle, pour s'amuser.

On défait de son emballage de papier brun une grande boîte de carton, on enlève le couvercle, les papiers de soie, et on découvre couchée, les yeux fermés, une énorme poupée... elle a des boucles brunes, ses paupières sont bordées de cils longs et épais... c'est elle, je la reconnais, c'est celle que j'avais vue à Paris dans une grande vitrine illuminée, je l'avais tant regardée... Elle était assise dans un fauteuil et à ses pieds était posé un carton où il était écrit : « Je sais parler »... On la sort avec précaution... quand on la soulève, ses yeux s'ouvrent... quand on tourne la tête d'un côté et de l'autre, ça fait en elle un bruit... « Tu entends ? elle parle, elle dit papa maman... — Oui, on dirait que c'est ce qu'elle dit... mais qu'est-ce qu'elle sait dire d'autre ? — Elle est trop petite, c'est déjà bien qu'elle sache dire ça... N'aie donc pas peur, prends-la dans tes bras. »

Je la prends avec précaution et je la pose sur le divan

pour mieux la voir... Il n'y a pas à dire, elle est très belle... elle a une robe de tulle blanc, une ceinture de satin bleu, des souliers et des chaussettes bleus et un grand nœud bleu dans les cheveux... «On peut la déshabiller?... — Bien sûr... et même on peut lui faire d'autres vêtements... comme ça, tu pourras la changer, tu l'habilleras comme tu voudras... — Oui, je suis contente... j'embrasse très fort papa... — Alors, c'est celle-là que tu voulais? — Oui, c'est bien elle...» On nous laisse toutes les deux pour que nous fassions mieux connaissance. Je reste à côté d'elle, je la couche, je la lève, je lui fais tourner la tête et dire papa maman. Mais je ne me sens pas très à l'aise avec elle. Et avec le temps ça ne s'arrange pas. Je n'ai jamais envie d'y jouer... elle est toute dure, trop lisse, elle fait toujours les mêmes mouvements, on ne peut la faire bouger qu'en soulevant et en abaissant de la même façon ses jambes et ses bras légèrement repliés, articulés à son corps raide. Je lui préfère encore les vieilles poupées de son que j'ai depuis longtemps, ce n'est pas que je les aime tellement, mais on peut traiter comme on veut leurs corps un peu flasques, désarticulés, les serrer, les tripoter, les lancer...

Il n'y a que lui qui me soit vraiment proche, Michka, mon ours en peluche, soyeux, tiède, doux, mou, tout imprégné de familiarité tendre. Il dort toujours avec moi, sa tête au pelage doré, aux oreilles droites, est posée à côté de moi sur l'oreiller, son bon nez rond avec sa truffe noire comme ses petits yeux brillants dépasse du drap... je ne pourrais pas m'endormir si je ne le sentais pas là près de moi, je ne pars jamais sans lui, il m'accompagne toujours dans mes voyages.

On m'a amenée chercher papa à sa «fabrique» où il travaille toute la journée... je traverse une grande cour boueuse et puis un baraquement au sol de terre battue, il faut sauter par-dessus des ruisseaux, des flaques de liquide bleu, jaune, rouge... on voit circuler parmi les tonneaux, les chariots, des hommes barbus coiffés de casquettes, chaussés de hautes bottes... l'odeur ici n'est pas aussi écœurante que celle du vinaigre, mais je préfère l'aspirer le moins possible tant elle est désagréable, âcre, acide... J'entre dans une longue pièce très éclairée, où il y a plusieurs longues tables sur lesquelles on voit posées debout côte à côte dans des supports de bois des éprouvettes contenant des poudres de la même couleur éclatante que les ruisseaux dans la cour, rouges, bleues, jaunes... des liquides de la même belle couleur sont chauffés dans des cornues suspendues au-dessus de petites flammes... papa est debout devant une des tables, revêtu d'une longue blouse blanche, il tient dans la main une cornue, il l'agite doucement au-dessus de la flamme et puis la lève et l'examine à la lumière. Il la remet dans son support, il se penche, me prend dans ses bras, m'embrasse et puis me conduit dans une pièce à côté où il m'installe hissée sur de gros livres, dans son fauteuil, devant son bureau. Il rapproche de moi un grand boulier et il me dit... «Tiens, amuse-toi avec ça... je ne vais pas tarder.» Je fais glisser, descendre et remonter des boules de bois jaunes et noires le long des tiges de métal sur lesquelles elles sont enfilées, mais ce n'est pas amusant, je ne sais pas y jouer... il me tarde que papa revienne... et le voici, il a enlevé sa blouse, il porte sa pelisse et son bonnet de fourrure, il a l'air content... «Voilà, tu vois, ça n'a pas été très long.»

Le voici sur une vaste place enneigée, je sais que c'est une place de Moscou, il sort d'un grand magasin de friandises, les bras chargés de paquets enveloppés de papier blanc, entourés de rubans... J'aime le voir ainsi... le col de loutre de sa pelisse noire négligemment ouvert, découvrant son haut faux col blanc, son bonnet de fourrure légèrement rejeté en arrière... il sourit, je ne sais pourquoi... sur son visage animé, d'où quelque chose de plus intense encore qu'à l'ordinaire se dégage, brille la ligne nette, régulière, très blanche de ses dents.

Il s'approche du traîneau où emmitouflée jusqu'aux yeux, protégée par le tablier de cuir, je l'attends... il dégrafe d'un seul côté le tablier, dépose les paquets sous mes pieds, se glisse auprès de moi derrière l'énorme dos du cocher revêtu de son épaisse houppelande.

Nous sommes dans l'appartement de mon père à Moscou. Un grand arbre de Noël occupe le centre de l'une des pièces. Cette fois je peux discerner vaguement une jolie jeune femme blonde qui aime rire et jouer... Je lui tends toutes sortes de petits paquets, d'objets, de jouets posés par terre auprès de l'arbre, des noix dorées, de toutes petites pommes rouges de Crimée, et elle les attache aux branches par des faveurs rouges, des fils d'or et d'argent...

Et puis dans l'entrée de l'appartement sont assis des enfants, nos invités qui partent après la fête... on leur enlève leurs souliers, on cherche partout, sous les banquettes, on retrouve et on enfile sur leurs jambes tendues leurs bottes de feutre.

Je suis couchée dans ma petite chambre arrangée pour moi dans ce même appartement, mon lit est appuyé contre un mur couvert d'une natte de paille avec des dessins brodés. Je me couche toujours tournée vers elle, j'aime caresser du doigt sa texture lisse, regarder sa délicate couleur dorée, l'éclat soyeux de ses oiseaux, de ses arbrisseaux, de ses fleurs... Ici, je ne sais pourquoi, j'ai peur seule le soir dans ma chambre et papa a consenti à rester auprès de moi jusqu'à ce que je m'endorme... Il est assis sur une chaise derrière moi et il me chante une vieille berceuse... sa voix basse est incertaine, comme un peu éraillée... il ne sait pas bien chanter et cette maladresse donne à ce qu'il chante quelque chose d'encore plus touchant... je l'entends aujourd'hui si distinctement que je peux l'imiter et j'avoue que parfois cela m'arrive... dans cette berceuse, il a remplacé les mots « mon bébé » par le diminutif de mon prénom qui a le même nombre de syllabes, Tachotchek... Petit à petit je m'assoupis, sa voix devient de plus en plus lointaine... et puis j'entends derrière moi le bruit léger que fait sa chaise, il doit être en train de se lever, il croit que je dors, il va s'en aller... et aussitôt je sors une main de sous la couverture pour lui montrer que je suis toujours éveillée... ou je perçois les craquements du parquet sous ses pas lents, prudents... il va entrouvrir tout doucement la porte... alors je toussote, je pousse un grognement... mais je ne parle pas, cela pourrait me réveiller complètement et je veux dormir, je veux qu'il puisse partir, cela m'ennuie de le retenir...

— Vraiment? Ne crois-tu pas que lorsque tu le sentais derrière ton dos, les yeux rivés sur toi, chantonnant de plus en plus faiblement, se dirigeant sur la pointe des pieds vers la porte, se retournant sur le seuil une dernière fois pour t'observer, pour s'assurer que tu ne te doutes de rien, et puis ouvrir la porte, la refermer avec d'immenses précautions et délivré enfin prendre la fuite... ne crois-tu pas que ce qui te faisait sortir une main, toussoter, grogner, c'était le désir d'empêcher ce qui se préparait, ce qui allait arriver, et qui avait déjà pour toi le goût de la trahison sournoise, de l'abandon ?

— Je reconnais que tout paraissait réuni pour que cela se forme en moi... Mais j'essaie de me retrouver, là, dans ce petit lit, écoutant mon père se lever, marcher vers la porte... je sors la main, je pousse un grognement... non, pas encore, ne pars pas, je vais avoir peur, tu m'as promis, c'était convenu que tu resterais avec moi tant que je ne serais pas endormie, je fais tout ce que je peux, je vais y arriver, tu verras, je ne dois pas parler, pas trop remuer, je veux juste t'indiquer, puisque c'était convenu, qu'un pacte entre nous a été conclu, je sais que tu veux le respecter, et moi aussi, vois-tu, je le respecte, je te préviens... tu ne veux pas que j'aie peur... reste juste encore un peu, je sens que le sommeil vient, alors tout sera pour moi très bien, je ne sentirai plus rien et tu pourras tranquillement me laisser, t'en aller...

La calèche s'arrête devant le perron d'une grande maison en bois, papa me dégage des couvertures où je suis enfouie, il me prend dans ses bras, je suis toute petite, j'ai mon manteau de velours blanc si beau qu'on me dit que dedans je suis une «vraie poupée», il me porte en escaladant très vite les marches, il me dépose dans les bras de mon grand-père et de ma grand-mère qui sont là tous deux devant la porte, dans leurs longues chemises de nuit blanches... Papa leur parle d'un air furieux... «Mais je vous avais prévenus, je vous avais demandé de ne pas vous lever, c'est de la folie...»

Je suis tellement choquée qu'il leur parle de cette façon que je reste figée, je ne réponds pas comme je voudrais à leurs baisers, à leurs mots tendres... Eux n'ont pas l'air d'en vouloir à papa... Peut-être qu'ils sont trop faibles pour se défendre, ils sont si doux, si vieux... Comment a-t-il pu se fâcher comme ça, leur parler si rudement? Dès que nous restons seuls je le lui demande... «Tu avais l'air si méchant... — Mais non, tu es bête, j'avais peur qu'ils prennent froid... à sept heures du matin! en chemise de nuit! Ils auraient pu attendre dans leur lit, je leur avais écrit... — Mais ce n'était pas la peine de le dire si méchamment... — Mais pas du tout, ce n'était pas méchant... — Tu as crié... — Pour qu'ils rentrent vite, ils entendent mal... Je ne voulais pas qu'ils prennent froid... — Ils savent que c'est pour ça? — Bien sûr qu'ils le savent. Tu ferais mieux de penser à autre chose... »

Et vraiment j'aurais mieux fait. J'aurais peut-être alors pu conserver quelques autres moments de cet unique séjour auprès de mes grands-parents... Mais on dirait que ce moment-là, tellement violent, a pris d'emblée le dessus sur tous les autres, lui seul est resté.

Je me promène avec mon père... ou plutôt il me promène, comme il le fait chaque jour quand il vient à Paris. Je ne sais plus comment je l'ai rejoint... quelqu'un a dû me déposer à son hôtel ou bien à un endroit convenu... il est hors de question qu'il soit venu me chercher rue Flatters... je ne les ai jamais vus, je ne peux pas les imaginer se rencontrant, lui et ma mère...

Nous sommes passés par l'entrée du Grand Luxembourg qui fait face au Sénat et nous nous dirigeons vers la gauche, où se trouvent le Guignol, les balançoires, les chevaux de bois...

Tout est gris, l'air, le ciel, les allées, les vastes espaces pelés, les branches dénudées des arbres. Il me semble que nous nous taisons. En tout cas, de ce qui a pu être dit ne sont restés que ces mots que j'entends encore très distinctement : « Est-ce que tu m'aimes, papa ?... » dans le ton rien d'anxieux, mais quelque chose plutôt qui se veut malicieux... il n'est pas possible que je lui pose cette question d'un air sérieux, que j'emploie ce mot « tu m'aimes » autrement que pour rire... il déteste trop ce genre de mots, et dans la bouche d'un enfant...

— Tu le sentais vraiment déjà à cet âge ?

— Oui, aussi fort, peut-être plus fort que je ne l'aurais senti maintenant... ce sont des choses que les enfants perçoivent mieux encore que les adultes.

Je savais que ces mots « tu m'aimes », « je t'aime » étaient de ceux qui le feraient se rétracter, feraient reculer, se terrer encore plus loin au fond de lui ce qui était enfoui... Et en effet, il y a de la désapprobation dans sa moue, dans sa voix... « Pourquoi me demandes-tu ça ? » Toujours avec une nuance d'amusement... parce que cela m'amuse et aussi pour empêcher qu'il me repousse d'un air mécontent, « Ne dis donc pas de bêtises »... j'insiste : Est-ce que tu m'aimes, dis-le-moi. — Mais tu le sais... — Mais je voudrais que tu me le dises. Dis-le, papa, tu m'aimes ou non ?... sur un ton, cette fois, comminatoire et solennel qui lui fait pressentir ce qui va suivre et l'incite à laisser sortir, c'est juste pour jouer, c'est juste pour rire... ces mots ridicules, indécents : « Mais oui, mon petit bêta, *je t'aime.* »

Alors il est récompensé d'avoir accepté de jouer à mon jeu... « Eh bien, puisque tu m'aimes, tu vas me donner... » tu vois, je n'ai pas songé un instant à t'obliger à t'ouvrir complètement, à étaler ce qui t'emplit, ce que tu retiens, ce à quoi tu ne permets de s'échapper que par bribes, par bouffées, tu pourras en laisser sourdre un tout petit peu... « Tu vas me donner un de ces ballons... — Mais où en vois-tu ? — Là-bas... il y en a dans ce kiosque... »

Et je suis satisfaite, j'ai pu le taquiner un peu et puis le rassurer... et recevoir ce gage, ce joli trophée que j'emporte, flottant tout bleu et brillant au-dessus de ma tête, retenu par un long fil attaché à mon poignet.

Je suis assez grande maintenant pour qu'on ne m'installe plus dans une voiture, je peux m'asseoir à califourchon sur ce lion jaune ou plutôt sur ce cochon rose... ou bien non, sur cette belle girafe blanche... Je serre avec ma main gauche la hampe de cuivre à laquelle je suis attachée par une ceinture passée autour de ma taille, et je tiens dans ma main droite le manche de bois tout lisse et rond sur lequel est fixée une longue tige de métal...

La musique se met à jouer, nous partons... il faut faire très attention de tenir la tige tendue dans la bonne direction, nous tournons, nous allons dans quelques instants passer devant l'anneau... et le voici suspendu en l'air, se balançant doucement... il se rapproche... j'arrive tout près, c'est le moment... je tends la tige vers lui, je vise tout droit, en plein dans son centre... ça y est, j'entends un bruit métallique, mais c'est seulement celui qu'il a fait en se heurtant contre la tige, elle ne l'a pas accroché et il est déjà dépassé, nous continuons à tourner... tant pis, je vais recommencer... Et au prochain tour, de nouveau...

— Mais essaie de te rappeler... il a dû pourtant arriver parfois...

— Oui, sûrement, puisque je me souviens de ces deux ou trois anneaux que je déposais sur le comptoir en sortant... Mais qu'est-ce que c'est, quand d'autres enfants aussi petits que moi, et même plus petits, savent si bien les décrocher... à la fin du parcours les anneaux qu'ils ont réussi à enfiler sur la tige la couvrent parfois presque entièrement... Je prends le sucre d'orge que quand même on me donne, j'écoute les consolations, les conseils des grandes personnes... «Tu vois, tu te crispes trop, il ne faut pas, tu as vu comme font les autres enfants... ils le font en s'amusant...» Oui, je voudrais tant pouvoir comme eux, avec cette facilité, cette légèreté qu'ils ont, cette insouciance... Pourquoi est-ce que je ne peux pas ? Mais qu'est-ce que ça peut faire ?... c'est vrai, quelle importance ?... Mais peut-être que la prochaine fois... si j'arrive à bien m'y prendre...

Quand j'aperçois de loin la grille verte autour des chevaux de bois et leurs formes multicolores qui glissent, ils tournent, j'entends leur musique chevrotante, j'ai envie de courir vers eux, je voudrais qu'on se dépêche... «Tu veux y aller, vraiment ? — Oui, j'aimerais bien.»

« Cher petit oreiller, doux et chaud sous ma tête, plein de plume choisie, et blanc et fait pour moi... » tout en récitant, j'entends ma petite voix que je rends plus aiguë qu'elle ne l'est pour qu'elle soit la voix d'une toute petite fille, et aussi la niaiserie affectée de mes intonations... je perçois parfaitement combien est fausse, ridicule, cette imitation de l'innocence, de la naïveté d'un petit enfant, mais il est trop tard, je me suis laissé faire, je n'ai pas osé résister quand on m'a soulevée sous les bras et placée debout sur cette chaise pour qu'on me voie mieux... si on me laissait par terre, on ne me verrait pas bien, ma tête dépasserait à peine la longue table à laquelle sont assis, de chaque côté d'une mariée tout en blanc, des gens qui me regardent, qui attendent... j'ai été poussée, j'ai basculé dans cette voix, dans ce ton, je ne peux plus reculer, je dois avancer affublée de ce déguisement de bébé, de bêta, me voici arrivée à l'endroit où il me faut singer l'effroi, j'arrondis mes lèvres, j'ouvre mes yeux tout grands, ma voix monte, vibre... « Quand on a peur du loup, du vent, de la tempête... » et puis la tendre, candide émotion... « Cher petit oreiller, comme je dors bien sur toi... », je parcours jusqu'au bout ce chemin de la soumission, de l'abject renoncement à ce qu'on se sent être, à ce qu'on est pour de bon, mes joues brûlent, tandis qu'on me descend

de ma chaise, que je fais de mon propre gré une petite révé-
rence de fillette sage et bien élevée et cours me cacher...
auprès de qui ?... qu'est-ce que je faisais là ?... qui m'avait
amenée ?... sous les rires approbateurs, les exclamations
amusées, attendries, les forts claquements des mains...

Encore un nom qui curieusement a subsisté : la rue Bois-sonade. C'est là, dans une grande pièce claire au rez-de-chaussée, que je suis venue, je ne sais plus comment, retrouver papa... Il est assis, toujours mince et droit, sur un canapé et je suis assise auprès de lui... Par une porte qui s'ouvre dans le mur devant nous une jeune femme entre... je l'ai déjà vue, ce n'est pas celle de Moscou qui décorait l'arbre de Noël avec moi, mais une autre, aux cheveux châ-tains, que je n'ai vue qu'ici avec papa... elle fait son entrée déguisée en jeune homme... elle porte un costume de papa et elle a sur la tête son chapeau melon sous lequel elle a dissimulé son chignon, mais des bouclettes tombent sur ses joues, sur sa nuque... ses yeux d'un bleu très clair sont comme transparents... nous la regardons, surpris, nous rions, comme elle est drôle, vêtue ainsi, comme ça lui va... elle s'approche de moi, elle s'incline devant moi comme on fait dans les bals devant les dames, elle me prend par la main, je me lève, elle me tient par la taille et elle tourne avec moi en chantonnant des airs charmants joyeux entraînants elle va de plus en plus vite elle me soulève mes pieds ne tou-chent plus terre la tête me tourne je ris de ravissement... enfin elle me ramène au divan, me lâche, me laisse tomber, se laisse tomber elle-même auprès de papa et de moi, sa poitrine se soulève, ses joues rondes comme celles des enfants sont toutes roses, elle rejette la tête en arrière contre le dossier du divan et elle s'évente avec son mouchoir en haletant encore un peu, en souriant... Je voudrais bien qu'elle recommence.

Pourquoi vouloir faire revivre cela, sans mots qui puissent parvenir à capter, à retenir ne serait-ce qu'encore quelques instants ce qui m'est arrivé... comme viennent aux petites bergères les visions célestes... mais ici aucune sainte apparition, pas de pieuse enfant...

J'étais assise, encore au Luxembourg, sur un banc du jardin anglais, entre mon père et la jeune femme qui m'avait fait danser dans la grande chambre claire de la rue Boissonade. Il y avait, posé sur le banc entre nous ou sur les genoux de l'un d'eux, un gros livre relié... il me semble que c'étaient les *Contes* d'Andersen.

Je venais d'en écouter un passage... je regardais les espaliers en fleurs le long du petit mur de briques roses, les arbres fleuris, la pelouse d'un vert étincelant jonchée de pâquerettes, de pétales blancs et roses, le ciel, bien sûr, était bleu, et l'air semblait vibrer légèrement... et à ce moment-là, c'est venu... quelque chose d'unique... qui ne reviendra plus jamais de cette façon, une sensation d'une telle violence qu'encore maintenant, après tant de temps écoulé, quand, amoindrie, en partie effacée elle me revient, j'éprouve... mais quoi ? quel mot peut s'en saisir ? pas le mot à tout dire : « bonheur », qui se présente le premier, non, pas lui... « félicité », « exaltation », sont trop laids, qu'ils n'y touchent pas... et «extase»... comme devant ce mot ce qui est là se rétracte... «Joie», oui, peut-être... ce petit mot modeste, tout simple, peut effleurer sans grand danger... mais il n'est pas capable de recueillir ce qui m'emplit, me déborde, s'épand, va se perdre, se fondre dans les briques roses, les espaliers en fleurs, la pelouse, les pétales roses et blancs, l'air qui vibre parcouru de tremblements à peine perceptibles, d'ondes... des ondes de vie, de vie tout court, quel autre mot?... de vie à l'état pur, aucune menace sur elle, aucun mélange, elle atteint tout à coup l'intensité la plus grande qu'elle puisse jamais atteindre... jamais plus cette sorte d'intensité-là, pour rien, parce que c'est là, parce que je suis dans cela, dans le petit mur rose, les fleurs des espaliers, des arbres, la pelouse, l'air qui vibre... je suis en eux sans rien de plus, rien qui ne soit à eux, rien à moi.

C'est dans cette large rue bordée d'un côté de grandes maisons de couleur claire et de l'autre de jardins, si différente de la rue Flatters, qu'habitent maintenant maman et Kolia.

Dans l'entrée de la maison et sur les marches de l'escalier il y a un épais tapis rouge, et dans le mur à gauche un ascenseur, comme il y en avait dans les hôtels. Et aussi, comme dans les hôtels, un concierge vêtu d'un bel habit orné de ganses et coiffé d'un haut chapeau... il aide à monter mes bagages.

J'entre dans une grande pièce claire où maman et Kolia m'embrassent, m'écartent d'eux pour mieux me voir... « Mais quelle mine superbe, mais comme tu as grandi... et quel joli manteau tu as... tourne-toi, qu'on te regarde »... Il est très joli, en effet, bleu foncé, avec un col et des parements de velours bleu, et je porte mes gants de peau... papa accroupi devant moi sur le trottoir, à la sortie d'un magasin, à Paris, avait eu beaucoup de mal à les enfiler sur mes doigts que je tenais raides et écartés, mais les gants se sont détendus comme l'avait promis la vendeuse, et maintenant la pression se ferme facilement sans pincer, sans plisser la peau du poignet.

À droite de la grande pièce ce sera ma chambre. Le lit

et la table de nuit sont tout au fond, en face de la fenêtre. On dirait que ce qui s'étend ici derrière les doubles vitres, c'est de vastes espaces glacés... pas de la neige étincelant au soleil comme à Ivanovo, ni des petites maisons serrées et sombres, comme à Paris... mais partout de la glace transparente et bleutée. Et la lumière ici est d'un gris argenté. La ville où je suis arrivée se nomme Pétersbourg.

La bonne qui s'occupe de moi ici est très jeune, son visage où tout est pâle, la peau, les lèvres, les yeux, a beaucoup de douceur. Elle s'appelle Gacha. Elle me promène chaque jour dans un square tout proche ou bien dans un vaste jardin que je ne revois jamais qu'avec des arbres givrés et des pelouses couvertes d'une couche de glace luisant dans cette lumière argentée...

Nous aimons aussi marcher dans la large avenue sur laquelle débouche notre rue, pour regarder les devantures des magasins. Ici elles sont entourées d'un cadre marron et les grosses lettres peintes en blanc sur le verre ont comme quelque chose d'un peu gauche, d'un peu fruste... Presque dans chaque maison un escalier tout raide descend dans un sous-sol où il y a souvent une boutique ou un café.

Nous aimons, Gacha et moi, rester à contempler dans la vitrine d'un magasin de chaussures, elle, des souliers noirs vernis à hauts talons, ils sont très beaux, elle a raison, et moi des souliers noirs vernis d'enfant qui ont des talons un peu plus hauts que ceux des miens, presque comme ceux des grandes personnes...

Souvent le soir quand mes parents sont sortis, nous jouons à un jeu qu'on m'a offert ici, «Le quatuor des écrivains». Il ressemble au jeu des familles auquel je jouais à Paris. Comme pour y jouer il faut être quatre, Gacha et l'autre bonne... je ne me souviens que de sa présence... invitent une de leurs amies qui travaille dans la même maison.

Sur chaque carte blanche il y a le portrait d'un écrivain et dessous son nom en lettres rouges. Plus bas, en caractères noirs, les titres de quatre de ses œuvres. Nous savons lire, mes partenaires et moi, et ce jeu nous passionne.

Nous sommes installées à la table carrée au milieu de la cuisine éclairée par une lampe à pétrole suspendue au plafond, les murs sont sombres, toujours un peu suintants. La surface marron de l'une des portes paraît parfois remuer, elle oscille légèrement... au début cela m'avait effrayée, mais on m'a expliqué que ce n'étaient que les mouvements des cafards qui recouvrent cette porte... des petites bêtes qui ne mordent pas et qui vont rester là... Personne ne s'en soucie et ils me donnent bientôt l'impression, comme à tout le monde, qu'ils font partie de la maison. Il fait bon, il fait bien chaud dans cette cuisine.

On distribue les cartes, on jette les dés pour savoir qui va commencer, et puis celle que le sort a désignée s'adresse à l'une des autres : Donne-moi Tourguéniev : *Pères et fils*. L'autre tend sa carte. Et maintenant... d'un ton plus assuré... tu vas me donner encore Tourguéniev : *Récits d'un chasseur*... Ton triomphant : Je ne les ai pas. Alors, toi Gacha, donne-moi Tolstoï : *Anna Karénine*. Merci. Et toi Natacha : *La Sonate à Kreutzer*. Merci. Alors maintenant donne-moi...
— Je ne l'ai pas... et toi, tu vas me rendre... et ainsi de déboires en victoires... seule l'arrivée de mes parents nous

arrête... Maman nous gronde gentiment, elle aime y jouer, elle nous comprend... «Mais quelle folie, il est minuit, quelle mine tu auras... — Mais demain je peux me lever tard.»

— C'est vrai, quand on y pense, pourquoi n'allais-tu pas en classe comme à Paris?

— Je ne sais pas. Je me souviens vaguement d'une salle de classe très gaie, ornée de plantes vertes, où je suis allée peu de temps, et d'une grosse petite fille qui portait un nom très drôle, composé avec le mot abeille et le mot miel... Et aussi qu'on nous apprenait à écrire de la main gauche comme de la main droite. Je l'avais raconté à papa dans une lettre. Et il m'avait répondu qu'il trouvait que c'était une perte inutile de temps. Je ne suis plus allée dans cette école ni dans aucune autre.

— Pourquoi?

— Vraiment j'ai beau chercher... Peut-être pour qu'on n'ait pas l'air ici de céder à mon père sur ce point. Mais jamais un pareil soupçon ne m'a effleurée en ce temps-là. Je crois l'avoir déjà constaté : je ne me posais pas de questions de ce genre.

Et ma mère était toujours pour moi, aussi bien que mon père, au-dessus, au-delà de tout soupçon.

Je sentais se dégageant de Kolia, de ses joues arrondies, de ses yeux myopes, de ses mains potelées, une douceur, une bonhomie... J'aimais l'air d'admiration, presque d'adoration qu'il avait parfois quand il regardait maman, le regard bienveillant qu'il posait sur moi, son rire si facile à faire sourdre. Quand il voulait, dans une discussion avec maman, marquer son désaccord, il employait toujours, d'un ton gentiment impatient, ces mêmes mots : « Ah, laisse cela, s'il te plaît »... ou : « Ce n'est pas du tout ça, rien de pareil »... sans jamais de véritable mécontentement, l'ombre d'une agression. Je ne saisissais pas bien ce qu'ils disaient, je crois qu'ils parlaient le plus souvent d'écrivains, de livres... il m'arrivait d'en reconnaître certains qui figuraient dans mon « quatuor ».

Ce qui passait entre Kolia et maman, ce courant chaud, ce rayonnement, j'en recevais, moi aussi, comme des ondes...

— Une fois pourtant... tu te rappelles...

— Mais c'est ce que j'ai senti longtemps après... tu sais bien que sur le moment...

— Oh, même sur le moment... et la preuve en est que ces mots sont restés en toi pour toujours, des mots entendus cette unique fois... un petit dicton...

— Maman et Kolia faisaient semblant de lutter, ils s'amusaient, et j'ai voulu participer, j'ai pris le parti de maman, j'ai passé mes bras autour d'elle comme pour la défendre et elle m'a repoussée doucement... « Laisse donc... femme et mari sont un même parti. » Et je me suis écartée...

— Aussi vite que si elle t'avait repoussée violemment...

— Et pourtant sur le moment ce que j'ai ressenti était très léger... c'était comme le tintement d'un verre doucement cogné...

— Crois-tu vraiment ?

— Il m'a semblé sur le moment que maman avait pensé que je voulais pour de bon la défendre, que je la croyais menacée, et elle a voulu me rassurer... Laisse... ne crains rien, il ne peut rien m'arriver... « Femme et mari sont un même parti. »

— Et c'est tout ? Tu n'as rien senti d'autre ? Mais regarde... maman et Kolia discutent, s'animent, ils font semblant de se battre, ils rient et tu t'approches, tu enserres de tes bras la jupe de ta mère et elle se dégage... « Laisse donc, femme et mari sont un même parti »... l'air un peu agacé...

— C'est vrai... je dérangeais leur jeu.

— Allons, fais un effort...

— Je venais m'immiscer... m'insérer là où il n'y avait pour moi aucune place.

— C'est bien, continue...

— J'étais un corps étranger... qui gênait...

— Oui : un corps étranger. Tu ne pouvais pas mieux dire. C'est cela que tu as senti alors et avec quelle force... Un corps étranger... Il faut que l'organisme où il s'est introduit tôt ou tard l'élimine...

— Non, cela, je ne l'ai pas pensé...

— Pas pensé, évidemment pas, je te l'accorde... c'est apparu, indistinct, irréel... un promontoire inconnu qui surgit un instant du brouillard... et de nouveau un épais brouillard le recouvre...

— Non, tu vas trop loin...

— Si. Je reste tout près, tu le sais bien.

De l'autre côté de la Néva gelée, entre les palais aux colonnes blanches, aux façades peintes de délicates couleurs, il y avait une maison faite tout entière avec de l'eau que la force du froid avait fait prendre : la maison de glace. Elle surgissait pour mon interminable enchantement d'un petit livre...

— Bien différente, à ce qu'on dit, de la macabre *Maison de glace* que tu aurais pu voir des années plus tard dans une édition pour adultes.

— Cette maison-là, je n'ai pas pu la regarder... J'ai voulu conserver la mienne... Elle est demeurée pour moi telle qu'elle m'apparaissait, blottie au creux de cette ville, au cœur de ces hivers, la condensation de leurs transparences bleutées, de leurs scintillements... Ses murs de glace épaisse, les carreaux de ses fenêtres faits d'une couche de glace très fine, ses balcons, ses colonnes, ses statues font penser à des pierres précieuses, ils ont la couleur du saphir, de l'opale... À l'intérieur, tous les meubles, les tables, les chaises, les lits, les oreillers, les couvertures, les tentures, les tapis, tous les menus objets qu'on trouve dans les vraies maisons, toute la vaisselle, et jusqu'aux bûches dans les cheminées sont en glace.

La nuit d'innombrables bougies brûlent dans les chandeliers, les candélabres, les lustres de glace, sans les faire fondre... la maison devenue translucide semble flamber au-dedans... un bloc de glace incandescente...

La fantaisie d'un tzar l'avait fait dresser... un tzar comme celui qui vit dans le palais sur l'immense esplanade blanche... Quand Gacha parle de lui, sa voix baisse, comme imbibée de vénération... Il m'est difficile d'imaginer qu'il est pareil aux autres hommes... son corps même doit être différent... « Est-ce qu'il faut qu'il se lave ? Est-ce qu'il faut le savonner ? — Mais bien sûr... — Il peut donc se salir ? — Oui, seulement lui, il aime être propre... — Et il a, lui aussi, là, au milieu de son ventre, ce petit trou ? Et dedans, lui aussi, il arrive que ça le démange ? »

On rit autour de moi dans la cuisine surchauffée où je me tiens debout dans un grand baquet de bois, tandis que Gacha me fait tourner en tous sens, me savonne et me rince.

— C'est à peu près à ce moment qu'est entré dans ta vie, et n'en est plus sorti, cet autre livre : *Le prince et le pauvre*.

— Je crois qu'il n'y en a aucun dans mon enfance, où j'aie vécu comme j'ai vécu dans celui-là.

— Pas même quand tu étais *David Copperfield* ou le héros de *Sans Famille*?

— Non, même pas. Leurs vies ont été les miennes, comme elles ont été celles de tant d'autres enfants, elles n'ont pas laissé en moi ces sillons... deux sillons que deux images, et elles seules, ont creusés...

Celle du petit prince loqueteux, juché sur un tonneau, couronné d'une écuelle de fer-blanc, une tige de fer dans la main... et en cercle autour de lui, dans une lumière rouge... la lumière même de l'enfer... des êtres humains aux corps hideux, aux faces sinistres... Il proteste, il crie qu'il est Edward, le prince héritier, leur futur roi, que c'est sûr, que c'est vrai... Et ils ricanent, ils s'esclaffent, ils l'invectivent, ils font semblant de l'adorer, ils le supplient, ils s'agenouillent devant lui pour rire, ils lui font des courbettes grotesques, des révérences...

Et puis l'image de Tom, le petit pauvre, le sosie du prince, revêtu de ses habits, enfermé à sa place dans le palais du roi... Il est seul, loin des siens, entouré d'inconnus, de serviteurs, de seigneurs solennels... leurs visages sont fermés, leurs yeux que recouvre une épaisse couche de respect le fixent... Ils observent avec une inquiétude cachée chacun de ses gestes... Voici que l'un d'eux s'approche de lui et lui présente un bol d'or contenant de l'eau où flottent des pétales de rose... Tom hésite, que doit-il faire? enfin il se décide:

il prend dans ses mains, il soulève et il porte à ses lèvres le rince-doigts.

Il est curieux que tout se soit effacé de ce livre que je lisais et relisais, sauf ces images restées toujours aussi intenses, intactes.

J'ai l'embarras du choix, il y a des livres partout, dans toutes les pièces, sur les meubles et même par terre, apportés par maman et Kolia ou bien arrivés par la poste... des petits, des moyens et des gros...

J'inspecte les nouveaux venus, je jauge l'effort que chacun va exiger, le temps qu'il va me prendre.. J'en choisis un et je m'installe avec lui ouvert sur mes genoux, je serre dans ma main le large coupe-papier en corne grisâtre et je commence... D'abord le coupe-papier, tenu horizontalement, sépare le haut des quatre pages attachées l'une à l'autre deux par deux, puis il s'abaisse, se redresse et se glisse entre les deux pages qui ne sont plus réunies que par le côté... Viennent ensuite les pages « faciles » : leur côté est ouvert, elles ne doivent être séparées que par le haut. Et de nouveau les quatre pages « difficiles »... puis quatre pages « faciles », puis quatre « difficiles », et ainsi de suite, toujours de plus en plus vite, ma main se fatigue, ma tête s'alourdit, bourdonne, j'ai comme un léger tournis... « Arrête-toi maintenant, mon chéri, ça suffit, tu ne trouves vraiment rien à faire de plus intéressant ? Je le découperai moi-même en lisant, ça ne me gêne pas, je le fais machinalement... »

Mais il n'est pas question que j'abandonne. Tout ce que je peux me permettre pour diminuer l'ennui, alléger le tournis, c'est quelques variantes : m'occuper d'abord seulement des « difficiles », en passant les « faciles »... que je garderai « pour le dessert ». Ou alors, au contraire, commencer par les faciles et terminer par les difficiles, ou soumettre à une de ces différentes méthodes des groupes dont je varierai à mon gré l'épaisseur... par exemple, trois feuillets où les difficiles et les faciles vont alterner... cinq où je ne m'occuperai d'abord que des faciles...

Une fois que je me suis embarquée sur cette galère, il ne m'est plus possible de la quitter. Il faut absolument que je parvienne à ce moment où, toutes les pages découpées, le livre devenu plus gros, gonflé, je pourrai le refermer le presser pour bien l'égaliser et en toute tranquillité le remettre à sa place.

Maman me presse, me gronde doucement... « Ne te fais pas prier comme ça, ce n'est pas gentil, ce n'est pas bien, va le chercher, viens le montrer... » Et aussi la présence du Monsieur assis à contre-jour, le dos à la fenêtre, son silence attentif, son attente pèsent sur moi, me poussent... mais je sais que je ne dois pas le faire, il ne le faut pas, je ne dois pas céder, je m'efforce comme je peux de résister... « Mais ce n'est rien du tout, c'est juste pour m'amuser... ce n'est vraiment rien... — Ne sois pas si timide... Vous savez que ce qu'elle écrit, c'est tout un long roman... » Le Monsieur...

— Qui était-ce ? je me le demande.

— Impossible de me le rappeler. Ce pouvait être Korolenko, à en juger par l'estime, par l'affection pour lui que je sentais chez maman... elle publiait dans sa revue, elle le voyait beaucoup, Kolia et elle en parlaient souvent... Mais peu importe son nom. Cette estime, cette affection ont rendu plus forte encore, irrésistible la pression des paroles qu'il a prononcées, tout à fait sur le même ton que s'il parlait à une grande personne : « Mais ça m'intéresse beaucoup. Tu dois me le montrer... » Alors... à qui n'est-ce jamais arrivé ? qui peut prétendre ignorer cette sensation qu'on a parfois, quand sachant ce qui va se passer, ce qui vous attend, le redoutant... on avance vers cela quand même...

— On dirait même qu'on le désire, que c'est cela qu'on cherche...

— Oui, ça vous tire... une drôle d'attraction...
Je suis retournée dans ma chambre, j'ai sorti du tiroir de ma table un épais cahier recouvert d'une toile cirée noire, je l'ai rapporté et je l'ai tendu au Monsieur...

— À « l'oncle », devrais-tu dire, puisque c'est ainsi qu'en Russie les enfants appellent les hommes adultes...

— Bon, « l'oncle » ouvre le cahier à la première page... les lettres à l'encre rouge sont très gauchement tracées, les lignes montent et descendent... Il les parcourt rapidement, feuillette plus loin, s'arrête de temps en temps... il a l'air étonné... il a l'air mécontent... Il referme le cahier, il me le rend et il dit : « Avant de se mettre à écrire un *roman*, il faut apprendre l'orthographe... »

J'ai remporté le cahier dans ma chambre, je ne sais plus ce que j'en ai fait, en tout cas il a disparu, et je n'ai plus écrit une ligne...

— C'est un des rares moments de ton enfance dont il t'est arrivé parfois, bien plus tard, de parler...

— Oui, pour répondre, pour donner des raisons à ceux qui me demandaient pourquoi j'ai tant attendu avant de commencer à « écrire »... C'était si commode, on pouvait difficilement trouver quelque chose de plus probant : un de ces magnifiques « traumatismes de l'enfance »...

— Tu n'y croyais pas vraiment ?

— Si, tout de même, j'y croyais... par conformisme. Par paresse. Tu sais bien que jusqu'à ces derniers temps je n'ai guère été tentée de ressusciter les événements de mon enfance. Mais maintenant, quand je m'efforce de reconstituer comme je peux ces instants, ce qui me surprend d'abord, c'est que je ne retrouve pour ainsi dire pas de colère ou de rancune contre « l'oncle ».

— Il a dû y en avoir pourtant... Il avait été brutal...

— C'est sûr. Mais elle s'est probablement très vite effacée et ce que je parviens à retrouver, c'est surtout une impression de délivrance... un peu comme ce qu'on éprouve après avoir subi une opération, une cautérisation, une ablation douloureuses, mais nécessaires, mais bienfaisantes...

— Il n'est pas possible que tu l'aies perçu ainsi sur le moment...

— Évidemment. Cela ne pouvait pas m'apparaître tel que je le vois à présent, quand je m'oblige à cet effort... dont je n'étais pas capable... quand j'essaie de m'enfoncer, d'atteindre, d'accrocher, de dégager ce qui est resté là, enfoui.

Je suis dans ma chambre, à ma petite table devant la fenêtre. Je trace des mots avec ma plume trempée dans l'encre rouge... je vois bien qu'ils ne sont pas pareils aux vrais mots des livres... ils sont comme déformés, comme un peu infirmes... En voici un tout vacillant, mal assuré, je dois le placer... ici peut-être... non, là... mais je me demande... j'ai dû me tromper... il n'a pas l'air de bien s'accorder avec les autres, ces mots qui vivent ailleurs... j'ai été les chercher loin de chez moi et je les ai ramenés ici, mais je ne sais pas ce qui est bon pour eux, je ne connais pas leurs habitudes...

Les mots de chez moi, des mots solides que je connais bien, que j'ai disposés, ici et là, parmi ces étrangers, ont un air gauche, emprunté, un peu ridicule... on dirait des gens transportés dans un pays inconnu, dans une société dont ils n'ont pas appris les usages, ils ne savent pas comment se comporter, ils ne savent plus très bien qui ils sont...

Et moi je suis comme eux, je me suis égarée, j'erre dans des lieux que je n'ai jamais habités... je ne connais pas du tout ce pâle jeune homme aux boucles blondes, allongé près d'une fenêtre d'où il voit les montagnes du Caucase... Il tousse et du sang apparaît sur le mouchoir qu'il porte à ses lèvres... Il ne pourra pas survivre aux premiers souffles du printemps... Je n'ai jamais été proche un seul instant de cette princesse géorgienne coiffée d'une toque de velours rouge d'où flotte un long voile blanc... Elle est enlevée par un djiguite sanglé dans sa tunique noire... une cartouchière bombe chaque côté de sa poitrine... je m'efforce de les rattraper quand ils s'enfuient sur un coursier... «fougueux»... je lance sur lui ce mot... un mot qui me paraît avoir un drôle d'aspect, un peu inquiétant, mais tant pis... ils fuient à travers les gorges, les défilés, portés par un coursier fougueux... ils murmurent des serments d'amour... c'est cela qu'il leur faut... elle se serre contre lui... Sous son voile blanc ses cheveux noirs flottent jusqu'à sa taille de guêpe...

Je ne me sens pas très bien auprès d'eux, ils m'intimident... mais ça ne fait rien, je dois les accueillir le mieux que je peux, c'est ici qu'ils doivent vivre... dans un roman... dans mon roman, j'en écris un, moi aussi, et il faut que je reste ici avec eux... avec ce jeune homme qui mourra au printemps, avec la princesse enlevée par le djiguite... et encore avec cette vieille sorcière aux mèches grises pendantes, aux doigts crochus, assise auprès du feu, qui leur prédit... et d'autres encore qui se présentent...

Je me tends vers eux... je m'efforce avec mes faibles mots hésitants de m'approcher d'eux plus près, tout près, de les tâter, de les manier... Mais ils sont rigides et lisses, glacés... on dirait qu'ils ont été découpés dans des feuilles de métal clinquant... j'ai beau essayer, il n'y a rien à faire, ils restent toujours pareils, leurs surfaces glissantes miroitent, scintillent... ils sont comme ensorcelés.

À moi aussi un sort a été jeté, je suis envoûtée, je suis

enfermée ici avec eux, dans ce roman, il m'est impossible d'en sortir...

Et voilà que ces paroles magiques... « Avant de se mettre à écrire un roman, il faut apprendre l'orthographe »... rompent le charme et me délivrent.

J'ai beau me recroqueviller, me rouler en boule, me dissimuler tout entière sous mes couvertures, la peur, une
peur comme je ne me rappelle pas en avoir connue depuis,
se glisse vers moi, s'infiltre... C'est de là qu'elle vient... je
n'ai pas besoin de regarder, je sens qu'elle est là partout...
elle donne à cette lumière sa teinte verdâtre... c'est elle,
cette allée d'arbres pointus, rigides et sombres, aux troncs
livides... elle est cette procession de fantômes revêtus de
longues robes blanches qui s'avancent en file lugubre vers
des dalles grises... elle vacille dans les flammes des grands
cierges blafards qu'ils portent... elle s'épand tout autour,
emplit ma chambre... Je voudrais m'échapper, mais je n'ai
pas le courage de traverser l'espace imprégné d'elle, qui
sépare mon lit de la porte.

Je parviens enfin à sortir ma tête un instant pour appeler... On vient... « Qu'y a-t-il encore ? — On a oublié de
recouvrir le tableau. — C'est pourtant vrai... Quel enfant
fou... On prend n'importe quoi, une serviette de toilette, un
vêtement, et on l'accroche le long de la partie supérieure
du cadre... Voilà, on ne voit plus rien... Tu n'as plus peur ?
— Non, c'est fini. » Je peux m'étendre de tout mon long
dans mon lit, poser ma tête sur l'oreiller, me détendre... Je

peux regarder le mur à gauche de la fenêtre... la peur a disparu.

Une grande personne avec l'air désinvolte, insouciant, le regard impassible des prestidigitateurs l'a escamotée en un tour de main.

Comme elle est belle... je ne peux m'en détacher, je serre plus fort la main de maman, je la retiens pour que nous restions là encore quelques instants, pour que je puisse encore regarder dans la vitrine cette tête... la contempler...

— Il est difficile de retrouver ce que cette poupée de coiffeur avait de si fascinant.

— Je n'y arrive pas bien. Je ne parviens à revoir que son visage assez flou, lisse et rose... lumineux... comme éclairé au-dedans... et aussi la courbe fière de ses narines, de ses lèvres dont les coins se relèvent... C'est mon émerveillement qui surtout me revient... tout en elle était beau. La beauté, c'était cela. C'était cela — être belle.

Je sens soudain comme une gêne, une légère douleur... on dirait que quelque part en moi je me suis cognée contre quelque chose, quelque chose est venu me heurter... ça se dessine, ça prend forme... une forme très nette : « Elle est plus belle que maman. »

— D'où est-ce venu tout à coup ?

— Je me suis longtemps contentée, quand il m'arrivait plus tard de repenser à cet instant...

— Avoue que tu ne l'as pas fait souvent...

— C'est vrai. Et je ne m'y arrêtais jamais longtemps... je m'imaginais vaguement que cette importance que j'avais semblé attacher à l'idée de « beauté » avait dû me venir de maman. Qui d'autre qu'elle aurait pu me l'inculquer ? Elle avait sur moi un tel pouvoir de suggestion. Elle avait dû m'amener... sans jamais l'exiger... elle m'avait sûrement incitée, sans que je sache comment, à la trouver très belle, d'une incomparable beauté... C'est de là que cela m'était venu, ce malaise, cette gêne...

Mais à présent que de toutes mes forces je cherche, je ne parviens à entendre maman faire allusion à la « beauté » qu'à propos de ma tante : « Aniouta est une vraie beauté » ou encore lorsqu'elle disait d'une de ses amies dont tout s'est effacé, le visage et le nom, « Elle est très belle », mais toujours sur le ton d'une simple constatation. Avec indifférence. Avec un parfait détachement.

Je ne peux pas la revoir se regardant dans un miroir, se poudrant... seulement son coup d'œil rapide quand elle passait devant une glace et son geste pressé pour remettre en place une mèche échappée de son chignon, rentrer une épingle à cheveux qui dépasse.

Elle ne paraissait guère se préoccuper de son aspect... Elle était comme au-dehors... Hors de tout cela.

— Oui. Ou au-delà...

— C'est ça : au-delà. Loin de toute comparaison possible. Aucune critique, aucune louange ne semblait pouvoir se poser sur elle. C'est ainsi qu'elle m'apparaissait.

Je la trouvais souvent délicieuse à regarder et il me semblait qu'elle l'était aussi pour beaucoup d'autres, je le voyais parfois dans les yeux des passants, des marchands, des amis, et, bien sûr, de Kolia. J'aimais ses traits fins, légers, comme fondus... je ne trouve pas d'autre mot... sous sa peau dorée, rosée, douce et soyeuse au toucher, plus soyeuse que la soie, plus tiède et tendre que les plumes d'un oiselet, que son duvet... La courbe que formait sa paupière légèrement bombée avec sa pommette assez haute avait cette pureté, cet air de candeur qu'elle a parfois chez les enfants. Ses yeux, de la même couleur mordorée que ses cheveux lisses et soyeux, n'étaient pas grands et leur forme était un petit peu inégale... quand quelque chose l'étonnait, un de ses sourcils, je crois que c'était le sourcil gauche, se relevait plus haut que l'autre, il ressemblait à un accent circonflexe. Son regard était assez étrange... fermé et dur parfois et parfois vif, naïf... Souvent comme absent...

— C'était peut-être sa mauvaise vue...

— Mais non, il y avait bien chez elle cette absence qui la rendait par moments inaccessible à tous... même à Kolia... et il s'en agaçait... «À quoi penses-tu ? Tu n'écoutes pas...»

En tout cas, il m'apparaît maintenant clairement que je ne

m'étais jamais demandé si maman était belle. Et je ne sais toujours pas ce qui m'a poussée ce jour-là à m'emparer de ce « Elle est belle » qui adhérait si parfaitement à cette poupée de coiffeur, qui semblait être fait pour elle, et à le transporter, à essayer de le faire tenir aussi sur la tête de maman. Je n'ai d'ailleurs gardé aucun souvenir de cette opération que j'ai pourtant dû accomplir... seul m'est resté le malaise, la légère douleur qui l'a accompagnée et sa phase ultime, son aboutissement quand j'ai vu... comment ne pas le voir ?... c'est évident, c'est certain, c'est ainsi : Elle est plus belle que maman.

Maintenant que c'est en moi, il n'est pas question que je le lui cache, je ne peux pas à ce point m'écarter d'elle, me fermer, m'enfermer seule avec ça, je ne peux pas le porter à moi seule, c'est à elle, c'est à nous deux que ça appartient... si je le garde, comprimé en moi, ça deviendra plus gros, plus lourd, ça appuiera de plus en plus fort, je dois absolument m'ouvrir à elle, je vais le lui montrer... comme je lui montre une écorchure, une écharde, une bosse... Regarde, maman, ce que j'ai là, ce que je me suis fait... « Je trouve qu'elle est plus belle que toi »... et elle va se pencher, souffler dessus, tapoter, ce n'est rien du tout, voyons, comme elle extrait délicatement une épine, comme elle sort de son sac et presse contre la bosse pour l'empêcher de grossir une pièce de monnaie... « Mais oui, grosse bête, bien sûr qu'elle est plus belle que moi »... et ça ne me fera plus mal, ça disparaîtra, nous repartirons tranquillement la main dans la main...

Mais maman lâche ma main, ou elle la tient moins fort, elle me regarde de son air mécontent et elle me dit : « Un enfant qui aime sa mère trouve que personne n'est plus beau qu'elle. »

Je ne me rappelle pas comment nous sommes revenues à la maison... peut-être nous taisions-nous ou peut-être même avons-nous continué à parler comme si de rien n'était. J'emportais en moi ce qu'elle y avait déposé... un paquet bien enveloppé... Ce n'est qu'une fois rentrée, quand je serai seule, que je l'ouvrirai pour voir ce qu'il contient...

— C'est cette habitude de ne jamais ouvrir aussitôt ce genre de paquets et d'attendre pour examiner à loisir ce qu'ils renferment qui peut expliquer ton manque de repartie, ton « esprit de l'escalier ».

— C'est sûr. Mais dans ce cas aucune repartie, même si j'en avais eu le don, n'aurait été possible...

— Il est probable qu'elle s'était mal exprimée. Ce qu'elle avait sans doute voulu dire était : Un enfant qui aime sa mère ne la compare jamais à personne.

— C'est ça : un enfant qui aime sa mère ne l'observe pas, il ne songe pas à la juger...

— Et aussi ce qui avait dû l'agacer, c'est que tu l'avais tirée d'où elle se tenait... au-dehors, au-delà, et que tu l'avais poussée parmi les autres, où l'on compare, situe, assigne des places... elle ne se mesurait à personne, elle ne voulait avoir sa place nulle part.

— Mais cela, je n'étais pas capable de le discerner, les mots qu'elle avait employés le masquaient. Elle avait dit :

«Un enfant qui aime sa mère trouve que personne n'est plus beau qu'elle. » Et ce sont ces mots qui ressortaient, ce sont eux qui m'occupaient... Un enfant. Un. Un. Oui, un enfant parmi tous les autres, un enfant comme tous les autres enfants. Un vrai enfant empli des sentiments qu'ont tous les vrais enfants, un enfant qui aime sa mère... Quel enfant ne l'aime pas ? Où a-t-on jamais vu ça ? Nulle part. Ce ne serait pas un enfant, ce serait un monstre. Ou alors elle ne serait pas une vraie mère, ce serait une marâtre. Donc un enfant comme sont, comme doivent être les enfants, aime sa maman. Et alors il la trouve plus belle que qui que ce soit au monde. C'est cet amour qu'il a pour elle qui la lui fait trouver si belle... la plus belle... Et moi, c'est évident, je ne l'aime pas, puisque je trouve la poupée de coiffeur plus belle.

Mais comment est-ce possible ? Mais est-ce certain ? Mais peut-être, après tout, que je ne le trouve pas... Est-il bien sûr qu'elle est plus belle ? L'est-elle vraiment ? Il faut encore l'examiner... Je fais réapparaître devant moi son visage rose, lumineux... je revois chacun de ses traits... il n'y a rien à faire, je n'y peux rien, il n'y a rien en elle qui ne soit beau, c'est cela être belle... et maman... je vois bien son visage fin, sa peau soyeuse, dorée... ce que son regard dégage... mais voilà, il n'y a pas moyen de ne pas le voir, ses oreilles ne sont pas assez petites, leurs lobes sont trop longs, la ligne de ses lèvres est trop droite, ses yeux ne sont pas grands, ses cils sont assez courts, ses cheveux sont plats... sur maman «belle» n'adhère pas partout, pas bien, ça se décolle ici et encore là, j'ai beau m'efforcer, il n'y a rien à faire, ça crève les yeux : maman n'est pas aussi belle.

Maintenant cette idée s'est installée en moi, il ne dépend pas de ma volonté de la déloger. Je peux m'obliger à la repousser au second plan, à la remplacer par une autre idée, mais pour un temps seulement... elle est toujours là, blottie dans un coin, prête à tout moment à s'avancer, à tout écarter devant elle, à occuper toute la place... On dirait que de la repousser, de trop la comprimer augmente encore sa poussée. Elle est la preuve, le signe de ce que je suis : un enfant qui n'aime pas sa mère. Un enfant qui porte sur lui quelque chose qui le sépare, qui le met au ban des autres enfants... des enfants légers, insouciants que je vois rire, crier, se poursuivre, se balancer au jardin, dans le square... et moi je suis à l'écart. Seule avec ça, que personne ne connaît, personne, si on le lui révélait, ne pourrait le croire.

Je n'essaie plus de lutter, d'évoquer encore la tête dans la vitrine et de la placer auprès de celle de maman... je sais que cela ne ferait qu'installer en moi encore plus solidement l'idée...

Et d'ailleurs cette poupée s'est d'elle-même effacée emportant avec elle l'idée fixe sur elle... Mais sa place a été aussitôt occupée... une autre idée semblable est venue la remplacer. C'est même peut-être cette nouvelle idée qui l'a délogée...

Il n'y a plus en moi comme avant, comme en tous les autres, les vrais enfants, ces eaux vives, rapides, limpides, pareilles à celles des rivières de montagne, des torrents, mais les eaux stagnantes, bourbeuses, polluées des étangs... celles qui attirent les moustiques. Tu n'as pas besoin de me répéter que je n'étais pas capable d'évoquer ces images... ce qui est certain, c'est qu'elles rendent exactement la sensation que me donnait mon pitoyable état.

Les idées arrivent n'importe quand, piquent, tiens, en voici une... et le dard minuscule s'enfonce, j'ai mal... « Maman a la peau d'un singe. »

Elles sont ainsi maintenant, ces idées, elles se permettent n'importe quoi. Je regarde le décolleté de maman, ses bras nus dorés, bronzés, et tout à coup en moi un diablotin, un petit esprit malicieux, comme les «domovoï» qui jouent toutes sortes de farces dans les maisons, m'envoie cette giclée, cette idée : «Maman a la peau d'un singe.» Je veux essuyer ça, l'effacer... ce n'est pas vrai, je ne le crois pas... ce n'est pas moi qui ai pensé ça. Mais il n'y a rien à faire, la fourrure d'un singe aperçu dans la cage du jardin d'acclimatation est venue, je ne sais comment, se poser sur le cou, sur les bras de maman et voici l'idée... elle me fait mal...

J'appelle maman au secours, il faut qu'elle me soulage... «Tu sais maman j'ai maintenant une autre idée... Elle a l'air aussitôt agacée... — Qu'est-ce que c'est encore? — Eh bien, je pense... que tu as... la peau d'un singe...» elle va regarder ce que j'ai là, ce qui a poussé en moi, malgré moi, nous allons le regarder ensemble... c'est si ridicule, grotesque... on ne peut que s'en moquer, elle va éclater de son rire qui me fait toujours rire avec elle, nous en rirons toutes les deux et l'idée s'en ira là d'où elle est venue... là où elle est née... quelque part hors de moi, dans un lieu que je ne connais pas... Ou encore maman dira : «Eh bien, j'en suis ravie. Tu te souviens comme ils étaient mignons, ces petits singes.»

— Une réponse que tu imagines maintenant...

— Bien sûr... mais j'attendais sans pouvoir l'imaginer exactement quelque chose de cet ordre... qui m'apporterait aussitôt l'apaisement... Mais maman a un rire méprisant et elle me dit : «Eh bien, je te remercie... On n'est pas plus gentil...»

Je ne crois pas que j'aie jamais été plus seule avant cela — ni même après. Aucune aide à attendre de personne...

Livrée sans défense aux « idées ». Un terrain propice sur lequel elles pouvaient faire tout ce qu'elles voulaient, elles s'ébattaient, s'appelaient entre elles et il en venait toujours d'autres... toutes étaient la preuve indubitable que je n'étais pas un enfant qui aime sa mère. Pas comme doit être un enfant.

Le mal était en moi. Le mal m'avait choisie parce qu'il trouvait en moi l'aliment dont il avait besoin. Il n'aurait jamais pu vivre dans un esprit sain et pur d'enfant comme celui que les autres enfants possèdent.

Quand je me tiens renfrognée dans un coin et que maman me demande... mais peut-être que je me tiens ainsi ostensiblement pour qu'elle le remarque et qu'elle me pose la question... « Qu'est-ce que tu as encore ? Pourquoi est-ce que tu ne joues pas ? Pourquoi ne lis-tu pas ?... » je lui réponds seulement... et c'est quand même un soulagement : « J'ai mes idées. »

Comme on dit : « J'ai mes douleurs. J'ai ma migraine », mais avec cette différence que c'est là un mal honteux, un mal secret, qu'elle seule connaît. Il n'est pas possible que je le confie à quelqu'un d'autre.

Je ne me souviens plus de toutes les idées folles, saugrenues qui sont venues m'habiter... seulement de la dernière, elle a fort heureusement précédé de peu mon départ, ma séparation d'avec ma mère, qui a mis fin brutalement à ce qui en se développant risquait de devenir une véritable folie...

Elle a été, cette dernière idée-là, de loin la plus cruelle de toutes... Elle a dû se glisser en moi un soir quand j'étais à la cuisine, probablement en train de jouer avec les bonnes au quatuor des écrivains. J'ai entendu Gacha dire à mots couverts aux deux autres : « Elle »... et je savais que ce « elle » désignait maman... « elle est en somme très bien, elle ne crie jamais, elle est polie, et pour ce qui est de la nourriture, il n'y a pas à se plaindre, sauf pour la viande... Tu as vu ces morceaux?...» et puis c'est passé, ça m'a juste traversée rapidement sans laisser aucune trace apparente... Et voilà qu'à table, au moment où Gacha tendait comme toujours son assiette à maman pour qu'elle y dépose les parts de viande destinées à «la cuisine», j'ai vu... je n'ai pas osé regarder Gacha, j'avais peur de surprendre son regard posé sur l'assiette où maman déposait... oui, il n'y avait pas moyen de s'y tromper... les morceaux étaient plus petits que les autres, il y avait dessus davantage de gras... Et aussitôt «l'idée» était là : maman ne traite pas bien Gacha... pourtant si pâle... et non plus l'autre bonne...

Cette fois, l'idée n'est plus de celles qu'il m'est possible de révéler même à maman. Je ne peux plus, si elle me le demande, lui répondre : J'ai mes idées... dans l'espoir qu'elle sera de bonne humeur et me dira : Allons qu'est-ce que c'est? et que je pourrai le lui montrer... Elle s'étonnerait : Qui t'a fait penser à ça? Elle se douterait, même si je le dissimulais... et avec maman je ne peux pas... elle saurait que c'est Gacha...

Alors comme toujours je n'ai pas la force de reconnaître et d'accepter la vérité. Les repas où il y a de la viande coupée en parts que maman distribue aux bonnes deviennent un supplice. «Maman est avare.» «Maman n'est pas reconnaissante.» «Maman est mesquine»... l'idée toute prête est là, elle attend... et j'essaie de la retenir... encore un instant... il faut voir... ah, quel bonheur... maman tout occupée par la conversation a pris deux morceaux tout à fait pareils à ceux qui restent dans le plat, j'ose regarder l'assiette de Gacha, j'exulte... l'idée vaincue s'éloigne... Je sens comme se répand en moi la douceur, la fraîcheur de l'apaisement... les autres fois aussi maman ne pensait pas à ce qu'elle faisait, elle est si souvent distraite... la mesquinerie, non, ça ne lui va pas du tout, Gacha ne la connaît pas...

Mais voici qu'à un autre repas, l'idée revient, elle rôde, elle guette... j'ai peur... j'essaie de l'empêcher d'entrer, je détourne les yeux, mais quelque chose me pousse, il faut que je voie... C'est vers le bout du rôti, vers ce morceau plus petit, et cet autre à côté, c'est vers eux que maman avance la fourchette, c'est eux qu'elle pique, soulève et dépose dans l'assiette que lui tend Gacha... je ne regarde pas le visage de Gacha... même s'il n'y a pas sur lui l'ombre d'un petit sourire, je sais ce qu'elle pense... je le pense comme elle. Mais moi l'idée me déchire, me dévore... quand elle me lâche, c'est pour un temps, elle va revenir, elle est toujours là, à l'affût, prête à bondir au cours de n'importe quel repas.

Je suis assise au bord de mon lit, le dos tourné à la fenêtre, je tiens debout sur mes genoux mon compagnon, mon confident, mon ours au pelage doré, tout mou et doux, et je lui raconte ce que maman vient de me dire... «Tu sais, nous allons bientôt revenir à Paris, chez papa... plus tôt que d'habitude... et là-bas, figure-toi qu'il y aura une autre maman...»

Alors maman qui est là, qui m'entend, me dit d'un air fâché : «Mais qu'est-ce que tu racontes? Quelle autre maman? on ne peut pas en avoir une autre. Tu n'as au monde qu'une seule maman.» Je ne sais si elle a prononcé ces phrases ou seulement la dernière d'entre elles, mais j'y retrouve l'emphase inhabituelle avec laquelle elle m'a parlé, et qui m'a rendue muette, comme pétrifiée.

Je ne me souviens d'aucun préparatif de départ... je sais que maman et Kolia allaient partir aussi, dès que maman reviendrait. Kolia avait écrit un gros livre sur l'histoire de l'Autriche-Hongrie et il était invité à travailler quelques mois à Budapest... un nom que j'ai entendu souvent à ce moment-là.

L'annonce de mon départ ne m'avait pas rendue triste. J'étais habituée à ces allers et retours et j'étais contente comme toujours de revoir papa, le Luxembourg... et la gentille dame qui m'avait fait danser, qui était auprès de moi sur le banc à ce moment-là... quand cela s'était produit... quand cela m'avait emplie, irradiant de partout, de la lumière, des petits murs de briques, des espaliers, des marronniers en fleurs... cela me revenait encore parfois...

J'ai oublié mes adieux probablement déchirants avec Gacha... mais, curieusement, ce qui est resté, c'est ce dernier moment, quand je suis revenue pour embrasser Kolia tout occupé à écrire, entouré de papiers... quand je l'ai flairé comme un petit chien, pour mieux me le rappeler... retenir son odeur de tabac et d'eau de toilette, et quand j'ai regardé encore une fois la forme de ses ongles, de ses doigts... il me semblait que c'est par là surtout que se dégageait ce qui l'emplissait, le gonflait même un peu, sa gentillesse, sa bonhomie.

Il est facile d'imaginer les plaines toutes blanches — c'était en février — à travers lesquelles nous roulions, les isbas de bois, les troncs blancs des bouleaux, les sapins sous la neige... je les voyais sûrement... mais ils se confondent avec tant d'autres images semblables. Ce qui ne se confond avec rien, c'est maman assise en face de moi près de la fenêtre, son geste quand étendant le bras elle essuie avec son mouchoir déjà trempé mon visage ruisselant de larmes et répète : «Il ne faut pas, mon chéri, il ne faut pas, mon petit enfant, mon petit chat... il ne faut pas...»

Par moments ma détresse s'apaise, je m'endors. Ou bien je m'amuse à scander sur le bruit des roues toujours les mêmes deux mots... venus sans doute des plaines ensoleillées que je voyais par la fenêtre... le mot français *soleil* et le même mot russe *solntze* où le *l* se prononce à peine, tantôt je dis sol-ntze, en ramassant et en avançant les lèvres, le bout de ma langue incurvée s'appuyant contre les dents de devant, tantôt so-leil en étirant les lèvres, la langue effleurant à peine les dents. Et de nouveau sol-ntze. Et de nouveau so-leil. Un jeu abrutissant que je ne peux pas arrêter. Il s'arrête tout seul et les larmes coulent.

— Il est étrange que ce soit juste cette fois-là que tu aies ressenti pour la première fois une telle détresse au moment de ton départ... On pourrait croire à un pressentiment...

— Ou alors chez maman...

— Oui, quelque chose qui t'aurait fait sentir que cette fois ce n'était pas un départ comme les autres...

— J'ai peine à croire, oui, peine, au sens propre du mot, que déjà à ce moment-là elle ait pu envisager... Non, il n'est pas possible qu'elle ait délibérément voulu me laisser à mon père.

— Ne nous suffit-il pas de constater que nous étions en février et que tu savais que la séparation serait plus longue que d'ordinaire, puisque cette fois, tu devais rester chez ton père plus de deux mois... jusqu'à la fin de l'été.

Je me souviens parfaitement d'une petite gare entourée de neige scintillante où nous avons attendu dans une salle éclairée par de grandes baies, les uniformes des employés avaient changé, je savais que nous étions à la frontière.

Et puis Berlin. Une vaste pièce assez sombre où il y avait d'un côté deux lits couverts d'immenses édredons rouges et de l'autre des fauteuils et une table ronde... maman est assise à cette table avec un « oncle » que je ne connais pas... maman m'a dit que c'est un de ses amis d'autrefois, au temps où elle faisait ses études à Genève, et que c'est aussi un grand ami de mon père... C'est lui maintenant qui va se charger de moi et qui va m'amener à Paris. Il a un visage doux et fin, tout gris, plein de petits trous comme en ont ceux qui ont eu la petite vérole... le bout de son nez est pointu, comme rongé...

Maman parle avec lui à voix basse, et moi j'ai trouvé un jeu très amusant : déjà revêtue de ma longue chemise de nuit, je saute à pieds joints d'un lit sur l'autre, les lits sont séparés par un assez large espace, il faut bien viser et plouf, tomber de l'autre côté, s'enfoncer dans l'énorme édredon, se rouler en faisant du bruit, en poussant des cris...

Maman me dit : « Arrête, tu nous déranges... demain nous allons nous séparer, il n'y a pas de quoi tant s'amuser. » Instantanément je me calme, je m'étends de tout mon long dans l'un des lits. J'entends maman qui dit d'un air extrêmement surpris : « Vraiment ? Elle est... » Je ne perçois pas le mot qui suit...

Quand nous sommes restées seules, je demande à maman : « Qu'est-ce que l'oncle t'a dit quand tu as eu l'air si étonnée ? — Oh je ne sais plus. — Si, dis-le-moi. Tu as dit : "Elle est..." Qui c'était, elle ? » Maman hésite et puis elle dit : « Elle — c'était Véra, la femme de ton père. — Elle est quoi ? — Rien... — Si, il faut que tu me le dises : Qu'est-ce qu'elle est ? » Maman a l'air de penser à quelque chose qui l'amuse... « Eh bien, si tu veux le savoir, il m'a dit qu'elle est bête. »

Du lendemain il ne me reste que le quai gris sombre, les atroces sifflets, maman penchée à une fenêtre du train qui s'éloigne lentement et moi courant le long du quai, hurlant, sanglotant, et l'oncle courant derrière moi pour me rattraper, me prenant par la main, me ramenant, où, je ne sais plus, probablement dans un autre train partant en sens inverse. Il me semble que je n'ai fait que pleurer jusqu'à notre arrivée à Paris à la gare du Nord dont la grisaille jaunâtre, l'immense voûte vitrée, ont pour la première fois un air sinistre.

Je ne sais pas si quelqu'un est venu nous chercher, je ne me souviens de mon père que dans le petit appartement triste et comme pas complètement habité de la rue Marguerin... et de son accueil étrange, si différent de tous ses accueils précédents... un peu froid, compassé... et la jeune femme... « Tu reconnais Véra ? tu t'en souviens ? » Je dis oui, mais j'ai du mal à reconnaître cette très jeune femme aux joues rondes et roses, si svelte et agile dans son costume d'homme, une mèche échappée du chapeau melon, qui me faisait tourner, me soulevait, tombait avec moi, essoufflée, s'éventant avec son mouchoir, riant aux éclats... elle ne res-

semblait pas à cette dame aux cheveux disposés en rouleaux de chaque côté de la tête, sagement lissés, pas une
mèche ne dépasse, son visage allongé est très pâle, ses
lèvres minces et droites, les dents du bas avançant et recou-
vrant celles du haut, s'étirent comme pour faire semblant
de sourire et il y a dans ses yeux très clairs, très transparents, quelque chose... il n'y avait rien de pareil dans les yeux
encore plus clairs et transparents de Gacha... oui, quelque
chose que je n'avais jamais remarqué chez personne...
comme une petite flamme inquiétante...

J'occupe ici comme à Pétersbourg une des chambres sur la rue. Il n'y a plus dehors de lumière argentée, ni quelque part plus loin de vastes espaces de glace, de neige scintillante... mais une lumière un peu sale, enfermée entre des rangées de petites maisons aux façades mornes...

— Mortes, devrais-tu dire, sans avoir peur d'exagérer.

— Oui, sans vie. Il est curieux que ces mêmes maisons, quand j'habitais rue Flatters, m'aient paru vivantes, je me sentais protégée, enveloppée doucement dans leur grisaille jaunâtre... et elles conduisaient aux amusements, à l'insouciance des jardins du Luxembourg où l'air était lumineux, vibrant.

Ici les petites rues compassées menaient au parc Montsouris. Son seul nom me semblait laid, la tristesse imbibait ses vastes pelouses encerclées de petits arceaux, elles étaient comme plaquées là pour rappeler de vraies prairies et vous en donnaient une nostalgie par moments déchirante... tu m'accorderas que le mot n'est pas trop fort.

C'est là que j'allais faire semblant de jouer, auprès de

Véra, aux pâtés, au cerceau, ou en courant sur le gravier des allées bordées d'arceaux. Même les chevaux de bois ici ne me tentaient pas.

Mes soirées, quand j'étais dans mon lit, étaient consacrées à maman, à pleurer en sortant de sous mon oreiller sa photo, où elle était assise auprès de Kolia, à l'embrasser et à lui dire que je n'en pouvais plus d'être loin d'elle, qu'elle vienne me chercher...

Il avait été entendu entre maman et moi que si j'étais heureuse je lui écrirais : « Ici je suis *très* heureuse », en soulignant « très ». Et seulement « Je suis heureuse », si je ne l'étais pas. C'est ce qu'un jour je m'étais décidée à lui écrire à la fin d'une lettre... je n'avais plus la force d'attendre encore plusieurs mois, jusqu'en septembre, qu'elle vienne me reprendre. Je lui ai donc écrit : « Je suis heureuse ici. »

Quelque temps après, mon père m'appelle. Je le voyais très peu. Il partait le matin vers sept heures, quand je dormais, et rentrait le soir très fatigué, préoccupé, le repas s'écoulait souvent en silence. Véra parlait très peu. Les mots qu'elle proférait étaient toujours brefs, les voyelles comme écrasées entre les consonnes, comme pour que chaque mot prenne moins de place. Même mon nom, elle le prononçait en supprimant presque les a. Ce qui devenait un son — ou plutôt un bruit étrange — N't'che...

Après le dîner, mon père, je le sentais, était content que j'aille me coucher... et moi-même je préférais aller dans ma chambre.

— Tu ne faisais pas qu'y pleurer...

— Non, je devais lire, comme toujours... Je me souviens d'un livre de Mayne Reid, que mon père m'avait donné. Il l'avait aimé quand il était petit... moi il ne m'amusait pas beaucoup... peut-être étais-je trop jeune... huit ans et demi... je m'évadais des longues descriptions de prairies vers les tirets libérateurs, ouvrant sur les dialogues.

Donc quelques jours après mon envoi de cette lettre à maman, mon père me retient après le dîner et m'amène dans son bureau qu'une porte vitrée sépare de la salle à manger... Il me dit : Tu as écrit à ta mère que tu étais malheureuse ici. Je suis stupéfaite : Comment le sais-tu ? — Eh bien j'ai reçu une lettre de ta mère. Elle me fait des reproches, elle me dit qu'on ne s'occupe pas bien de toi, que tu te plains...

Je suis atterrée, accablée sous le coup d'une pareille trahison. Je n'ai donc plus personne au monde à qui me plaindre. Maman ne songe même pas à venir me délivrer, ce qu'elle veut c'est que je reste ici, en me sentant moins malheureuse. Jamais plus je ne pourrai me confier à elle. Jamais plus je ne pourrai me confier à personne. Je devais montrer un si total, si profond désespoir que tout à coup mon père, abandonnant cette réserve, cette distance qu'il montre toujours ici à mon égard, me serre dans ses bras plus fort qu'il ne m'avait jamais serrée, même autrefois... il sort son mouchoir, il essuie avec une maladresse tendre, comme tremblante, mes larmes, et il me semble voir des larmes dans ses yeux. Il me dit juste : «Va te coucher, ne t'en fais pas... une expression qu'il a souvent employée en me parlant... rien dans la vie n'en vaut la peine... tu verras, dans la vie, tôt ou tard, tout s'arrange...»

À ce moment-là, et pour toujours, envers et contre toutes les apparences, un lien invisible que rien n'a pu détruire nous a attachés l'un à l'autre... Je ne sais pas exac-

tement ce que mon père sentait, mais moi, à cet âge-là, je
n'avais pas neuf ans, je suis sûre que tout ce qui petit à petit
s'est révélé à moi, au cours des années qui ont suivi, je l'ai
perçu d'un coup, en bloc... tous mes rapports avec mon
père, avec ma mère, avec Véra, leurs rapports entre eux,
n'ont été que le déroulement de ce qui s'était enroulé là.

Nous passons le mois de juillet dans une pension de famille à Meudon pour que mon père, qui maintenant essaie de fonder à Vanves une petite usine fabriquant les mêmes produits chimiques que son usine d'Ivanovo, puisse chaque soir venir nous rejoindre. La maison est située dans un vaste parc sans pelouses, jonché d'aiguilles de pin, planté de grands arbres sombres... Dans la salle à manger vient s'asseoir à une autre table un homme au visage bouffi et blafard que me rappellera plus tard l'acteur qui jouait l'assassin dans le film allemand « M ». Dès que je le regarde, il me fixe comme pour me faire peur de ses yeux très brillants. Son regard immobile, inexpressif, me fait penser au regard des fauves.

Véra est de plus en plus maigre, son visage est tout jaune, son ventre pointe, j'apprends je ne sais plus comment qu'elle attend un enfant. Et un matin, peu de temps après notre retour à Paris, mon père, qui n'est pas allé travailler, me dit que Véra est depuis la veille au soir dans une clinique et qu'une petite fille est née, une petite sœur pour moi... je la verrai dès que Véra se sentira mieux, elle a énormément souffert et le bébé est encore très faible.

Nous marchons dans une morne rue longue comme son nom, Ver-cin-gé-to-rix, pour arriver enfin à la clinique. Véra me sourit gentiment, auprès de son lit dans un berceau, je vois un petit être hideux, rouge, violet, avec une énorme bouche hurlante, il paraît qu'il hurle ainsi à s'étrangler jour et nuit. Véra a l'air inquiet, la main posée sur le rebord du berceau, elle le balance. On me dit d'embrasser le bébé, mais j'ai peur d'y toucher, enfin je me décide à poser mes lèvres sur son front plissé que ses cris stridents menacent de faire éclater... Comment va-t-elle s'appeler? — Hélène... C'est en souvenir de la petite fille qui était née trois ans avant moi et qui est morte de la scarlatine avant ma naissance. J'avais vu sa photo à Ivanovo. Elle était dans les bras de sa nourrice coiffée d'un haut bonnet brodé de perles... Elle ressemblait à maman, mais ses yeux étaient immenses, comme emplis d'étonnement... On m'avait dit que papa l'avait lui-même soignée, bercée dans ses bras et que sa mort lui avait fait tant de chagrin qu'il en était tombé malade.

— C'est vrai qu'il avait énormément souffert de sa mort, mais il était tombé malade parce qu'il avait attrapé d'elle la scarlatine.

— Je le sais maintenant, mais ce n'est pas ce qu'on m'avait dit et que je croyais encore...

Quelques jours avant que Véra revienne avec le bébé, je suis surprise en voyant que les objets qui m'appartiennent ne sont plus dans ma chambre, une assez vaste chambre donnant sur la rue. La grande et grosse femme qui s'occupe de tout dans la maison m'apprend que j'habiterai dorénavant dans la petite chambre qui donne sur la cour, tout près de la cuisine... « Qui va habiter dans ma chambre ? — Ta petite sœur avec sa bonne... — Quelle bonne ? — Elle va arriver... »

Si quelqu'un avait pensé à m'expliquer qu'il n'était pas possible de loger un bébé et une grande personne dans ma nouvelle chambre, qu'il n'y avait pas moyen de faire autrement, je crois que je l'aurais compris. Mais enlevée ainsi, brutalement, de ce qui petit à petit était devenu pour moi « ma chambre » et jetée dans ce qui m'apparaissait comme un sinistre réduit, jusqu'ici inhabité, j'ai eu un sentiment qu'il est facile d'imaginer de passe-droit, de préférence injuste. C'est alors que la brave femme qui achevait mon déménagement s'est arrêtée devant moi, j'étais assise sur mon lit dans ma nouvelle chambre, elle m'a regardée d'un air de grande pitié et elle a dit : « Quel malheur quand même de ne pas avoir de mère. »

« Quel malheur ! »... le mot frappe, c'est bien le cas de le dire, de plein fouet. Des lanières qui s'enroulent autour de moi, m'enserrent... Alors c'est ça, cette chose terrible, la plus terrible qui soit, qui se révélait au-dehors par des visages bouffis de larmes, des voiles noirs, des gémissements de désespoir... le « malheur » qui ne m'avait jamais approchée, jamais effleurée, s'est abattu sur moi. Cette femme le voit. Je suis dedans. Dans le malheur. Comme tous ceux qui n'ont pas de mère. Je n'en ai donc pas. C'est évident, je n'ai pas de mère. Mais comment est-ce possible ? Comment ça a-t-il pu m'arriver, à moi ? Ce qui avait fait couler mes larmes que maman effaçait d'un geste calme, en disant : « Il ne faut pas... » aurait-elle pu le dire si ç'avait été le « malheur » ?

Je sors d'une cassette en bois peint les lettres que maman m'envoie, elles sont parsemées de mots tendres, elle y évoque « notre amour », « notre séparation », il est évident que nous ne sommes pas séparées pour de bon, pas pour toujours... Et c'est ça, un malheur ? Mes parents, qui savent mieux, seraient stupéfaits s'ils entendaient ce mot... papa serait agacé, fâché... il déteste ces grands mots. Et maman dirait : Oui, un malheur quand on s'aime comme nous nous aimons... mais pas un vrai malheur... notre « triste séparation », comme elle l'appelle, ne durera pas... Un malheur, tout ça ? Non, c'est impossible. Mais pourtant cette femme si ferme, si solide, le voit. Elle voit le malheur sur moi, comme elle voit « mes deux yeux sur ma figure ». Personne d'autre ici ne le sait, ils ont tous autre chose à faire. Mais elle qui m'observe, elle l'a reconnu, c'est bien lui : le malheur qui s'abat sur les enfants dans les livres dans *Sans Famille*, dans *David Copperfield*. Ce même malheur a fondu sur moi, il m'enserre, il me tient.

Je reste quelque temps sans bouger, recroquevillée au bord de mon lit... Et puis tout en moi se révulse, se redresse, de toutes mes forces je repousse ça, je le déchire, j'arrache ce carcan, cette carapace. Je ne resterai pas dans ça, où cette femme m'a enfermée... elle ne sait rien, elle ne peut pas comprendre.

— C'était la première fois que tu avais été prise ainsi, dans un mot ?

— Je ne me souviens pas que cela me soit arrivé avant. Mais combien de fois depuis ne me suis-je pas évadée ter-rifiée hors des mots qui s'abattent sur vous et vous enfer-ment.

— Même le mot « bonheur », chaque fois qu'il était tout près, si près, prêt à se poser, tu cherchais à l'écarter... Non, pas ça, pas un de ces mots, ils me font peur, je préfère me passer d'eux, qu'ils ne s'approchent pas, qu'ils ne touchent à rien... rien ici, chez moi, n'est pour eux.

Les petites rues bordées de maisons tristes, rue du Loing, rue du Lunain, rue Marguerin...

— Des noms pourtant charmants quand tu les écoutes maintenant...

— Quand je fais un effort pour capter le son délicat, léger, qu'ils doivent avoir aux oreilles d'un touriste... Ou d'un de ceux qui ont eu la chance, ils me l'ont dit plus tard, de trouver dans ces petites rues cette discrète, presque tendre bienveillance que répandaient sur moi la rue Flatters ou la rue Berthollet.

Mais quand je les retrouve tels qu'ils étaient en ce temps-là, ces noms, Lunain, Loing, Marguerin, ils reprennent aussitôt, comme ces petites rues, leur aspect étriqué, mesquin... Il me semble qu'à l'abri des façades sans vie, derrière les fenêtres noires, au fond des petites cages sombres des gens à peine vivants se déplacent prudemment, bougent à peine...

Je cours le long de ces maisons, j'entre sous un porche semblable à tous les autres, je franchis l'endroit dangereux où dans sa loge une concierge, redoutée même des adultes, soulève un pan de rideau grisâtre et m'observe... je frotte mes semelles sur le tapis-brosse, j'ouvre avec précaution la double porte vitrée, je grimpe aussi vite que je peux l'escalier ciré, jusqu'au second... ou est-ce le troisième palier ? je sonne, on accourt, on m'ouvre... « Viens, ils sont là. »

Dans la chambre des enfants les objets, les jouets cassés, les meubles défoncés ont un air de liberté, d'insouciance, ils ne demandent qu'à s'amuser, les lits, les divans sont tout prêts à ce qu'on se laisse tomber sur eux en riant, en poussant des petits cris... pas trop fort cependant... « Faites un peu moins de bruit, s'il vous plaît, mes petits... » Une porte s'entrouvre, on entrevoit une pièce toute blanche, un fauteuil de dentiste... « Calmez-vous un peu, j'ai des patients... » Madame Péréverzev vêtue d'une longue blouse blanche tient dans la main un instrument de métal brillant, son visage est tout rond et tout rose et son nez est si retroussé qu'on dit, et ça l'amuse, qu'à travers lui on lit dans sa tête ses pensées. Sa fille Tania a exactement les mêmes narines... on dirait que c'est sa candeur, son espièglerie qui les arrondissent, les dilatent ainsi, retroussent sa lèvre... De son frère, qui a un ou deux ans de plus que nous, je n'ai retenu que le nom, Boris, et ces fous rires auxquels il s'abandonnait, qu'il nous communiquait, que l'interdiction de faire du bruit entretenait et fortifiait, qu'interrompaient des silences pleins à craquer, prometteurs de dangereuses, de voluptueuses explosions.

Parfois s'ouvre une autre porte et apparaît la silhouette mince et sombre de Monsieur Péréverzev... mais maintenant, pour moi, sa tête et celle de Tchekhov se confondent, son pince-nez est posé un peu de travers sur son nez, le cordon noir qui sert à l'attacher pend le long de sa joue, son visage est pensif, un peu triste, il dit d'une voix douce et basse... « Tss, tss, allons, allons, les enfants, laissez-moi travailler. »

À qui s'adressent-elles donc, les cartes postales, les lettres que m'envoie maman ? À qui croit-elle raconter, comme on raconte à un petit enfant, que là où elle passe avec Kolia un mois de vacances les fillettes portent des rubans rouges et de jolis sabots de bois, que la mer est toute bleue et qu'on voit passer dessus des bateaux à voile comme ceux du bassin du Luxembourg, mais ici ce sont des vrais, des grands bateaux...

Elle ne sait pas qui je suis maintenant, elle a même oublié qui j'étais.

Parfois à travers ces récits enfantins filtre comme de la gaieté, de la satisfaction.

J'ai envie de ne plus jamais recevoir aucune lettre, de briser pour toujours ces liens, mais chaque fois les mots tendres, caressants de la fin me retiennent, m'enveloppent... je suis tout amollie, je ne peux pas déchirer le papier sur lequel ces mots ont été tracés, je le range pieusement dans ma cassette.

Je parle le moins possible de maman... Chez mon père tout ce qui peut l'évoquer risque de faire monter et se montrer au-dehors... pas dans ses paroles, mais dans le froncement de ses sourcils, dans le plissement de ses lèvres qui s'avancent, dans les fentes étroites de ses paupières qui se rapprochent... quelque chose que je ne veux pas voir...

— De la rancune, de la réprobation... osons le dire... du mépris.

— Mais je n'appelle pas cela ainsi. Je ne donne à cela aucun nom, je sens confusément que c'est là, en lui, enfoui, comprimé... je ne veux surtout pas que cela se mette à bouger, que cela vienne affleurer...

Mon père lui-même, quand il le faut vraiment, désigne ma mère par le nom du lieu qu'elle habite : « As-tu écrit à Pétersbourg ? » « Tu as une lettre de Pétersbourg. » Les mots « ta mère » qu'il employait autrefois, maintenant, je ne sais pourquoi, ne peuvent plus lui passer les lèvres.

Et voilà qu'un jour, sous le regard de mon père que je sens posé sur mon visage, un regard qui s'attarde, ne le quitte plus, je relève un de mes sourcils comme le fait maman, j'ouvre mes yeux tout grands, je les fixe devant moi très loin, mes yeux comme ceux de maman s'emplissent d'étonnement, de désarroi, de candeur, d'innocence...

Mon père regarde toujours ce que je tiens étalé, immobile devant lui...

Mais ce n'est pas moi, c'est lui, c'est son regard à lui qui a fait venir cela sur mon visage, c'est lui qui le maintient...

— On aurait pu croire que ce que son regard ferait apparaître, ce serait plutôt l'air fermé et dur que ta mère avait parfois, celui qu'elle avait dû le plus souvent lui montrer et qu'il devait le mieux connaître.

— Si je l'avais senti, c'est cet air-là que j'aurais pris et je l'aurais encore durci... par défi... comme on le fait parfois en pareil cas...

— Oui, et aussi par désespoir...

— Mais ce n'est pas cet air que mon père a cherché sur mon visage, ce n'est pas lui qu'il a voulu retrouver, et ce qui est arrivé ensuite prouve que j'avais senti juste. Il s'est tourné vers l'ami qui était là, c'était l'ami commun de mes parents qui m'avait amenée de Berlin... nous étions seuls tous les trois... et mon père, détachant enfin ses yeux de moi, s'est tourné vers lui et lui a dit : « C'est étonnant comme par moments Natacha peut ressembler à sa mère... » et dans ces mots quelque chose d'infiniment fragile, que j'ai à peine osé percevoir, je craignais de le faire disparaître... quelque chose a glissé, m'a effleurée, m'a caressée, s'est effacé.

« Ce n'est pas ta maison »... On a peine à le croire, et pourtant c'est ce qu'un jour Véra m'a dit. Quand je lui ai demandé si nous allions bientôt rentrer à la maison, elle m'a dit : « Ce n'est pas ta maison. »

— Tout à fait ce que la méchante marâtre aurait pu répondre à la pauvre Cendrillon. C'est ce qui t'a fait hésiter...

— En effet, je craignais qu'en revivant cela, je ne me laisse pousser à faire de Véra et de moi des personnages de contes de fées...

— Il faut dire que Véra, par moments, quand on s'efforce de l'évoquer, donne le sentiment de décoller du réel, de s'envoler dans la fiction...

— Mais ne pourrait-on pas, cette fois, pour se maintenir dans la réalité, essayer d'imaginer que ces paroles, elle les a prononcées parce qu'il restait entendu que ma mère allait me reprendre, il ne fallait pas trop m'habituer à me sentir chez moi dans une maison que je devrais bientôt quitter... elle voulait m'éviter un nouveau déchirement...

— Admettons-le... Et admettons aussi qu'elle commençait peut-être à craindre que tu ne restes ici... c'était pour cette jeune femme une lourde charge... tout à fait imprévue... rien n'avait pu lui faire penser qu'elle devrait pour toujours l'assumer... et quand tu lui as fait entendre que c'était ta maison où tu comptais rentrer, elle n'a pas pu se retenir, elle n'a pas su arrêter l'impulsion qui la poussait à t'arracher à cette maison, à t'empêcher de t'y installer comme chez toi... Ah non, pas ça... « Ce n'est pas ta maison. »

— Il faudrait pour retrouver ce qui a pu faire surgir d'elle ces paroles réentendre au moins leur intonation... sentir passer sur soi les fluides qu'elles dégagent... Mais rien n'en est resté. Il est probable qu'elles ont par leur puissance tout écrasé... même sur le moment rien en elles, rien autour d'elles d'invisible, rien à découvrir, à examiner... je les ai reçues closes de toutes parts, toutes nettes et nues.

Elles sont tombées en moi de tout leur poids et elles ont une fois pour toutes empêché qu'« à la maison » ne monte, ne se forme en moi... Jamais plus d' « à la maison », tant que j'ai vécu là, même quand il fut certain que hors de cette maison il ne pouvait y en avoir pour moi aucune autre.

On est en octobre, les classes ont commencé, tous les enfants que je connais vont à l'école... j'aimerais bien y aller aussi, j'ai déjà neuf ans... mon père me dit qu'il a écrit à Pétersbourg pour demander si on comptait toujours me reprendre, mais il n'y a jusqu'à présent aucune réponse... pourtant en Russie les classes ont commencé depuis le début de septembre... Ne vaudrait-il pas mieux qu'en attendant je suive des cours ? Il y a tout près le cours des demoiselles Brébant qui pourrait me préparer à entrer à l'école communale dans la classe qui correspond à mon âge.

Je n'ai gardé de mon passage assez bref au cours Brébant que le souvenir de mon écriture, jusque-là tout à fait claire, et devenue subitement méconnaissable... je ne comprenais pas ce qu'il lui arrivait... les caractères étaient déformés, contrefaits, les lignes partaient dans tous les sens, je ne parvenais plus à diriger ma main...

Au cours Brébant on montre à mon égard beaucoup de patience, de la sollicitude. Quand on parvient à déchiffrer mon gribouillis, on s'aperçoit que je fais moins de fautes d'orthographe que les autres, j'ai sans doute beaucoup lu pour mon âge. Mais il faut que je recommence à apprendre à écrire. Comme autrefois, quand j'allais à l'école de la rue des Feuillantines, je recouvre à l'encre noire des bâtonnets d'un bleu-gris très pâle, tous alignés sous un même angle... Je rapporte à la maison des cahiers pleins de bâtonnets et aussi de lettres que je dois retracer de la même façon... petit à petit, à force d'application, mon écriture s'assagit, se calme...

C'est apaisant, c'est rassurant d'être là toute seule enfermée dans ma chambre... personne ne viendra me déranger, je fais «mes devoirs», j'accomplis un devoir que tout le monde respecte... Lili crie, Véra se fâche je ne sais contre quoi ni qui, des gens vont et viennent derrière ma porte, rien de tout cela ne me concerne... J'essuie ma plume sur un petit carré de feutre, je la trempe dans le flacon d'encre noire, je recouvre en faisant très attention... il faut qu'il n'y ait aucune bavure... les pâles fantômes de bâtonnets, de lettres, je les rends le plus visibles, le plus nets possible... je contrains ma main et elle m'obéit de mieux en mieux...

Je n'y pense plus jamais, je peux dire que cela m'est complètement « sorti de la tête ». Et un jour voilà que cela me revient... C'est à peine croyable... Comment est-il possible que j'aie pu éprouver cela il y a si peu de temps, il y a à peine un an quand elles arrivaient, s'introduisaient en moi, m'occupaient entièrement... « mes idées » que j'étais seule à avoir, qui faisaient tout chavirer, je sentais parfois que j'allais sombrer... un pauvre enfant fou, un bébé dément, appelant à l'aide... « Tu sais, maman, j'ai mes idées... Je pense que tu as la peau d'un singe... » J'imite comme je peux ce ton que j'avais, un ton éploré, piteux, grotesque... J'essaie de faire revenir... c'est juste pour m'amuser, juste pour rire, je peux me le permettre sans danger... cette appréhension quand je les sentais s'approcher... elles surgissaient à n'importe quel moment, elles venaient de n'importe où, elles s'installaient, s'épanouissaient, chez moi elles étaient chez elles... dans un lieu propice fait pour elles, un lieu malpropre, malsain... Comme il est délicieux, le contraste avec ce que je suis maintenant... comme maintenant mon esprit paraît net, propre, souple, sain... Des idées... pas « mes » idées... plus de ce « mes » louche, de ce « mes » inquiétant... des idées comme chacun en a me viennent comme à tout le monde. Je peux sans crainte penser n'importe quoi. Y a-t-il quelque chose qui puisse me faire honte, qui fasse de moi un pauvre être anormal, un paria ? Rien. Absolument rien. J'aurais beau chercher... je cherche... qu'elle vienne donc, si elle veut, cette « idée »... mais rien ne vient... il n'y en a pas... Tiens, j'en vois une qui ressemble à « mes idées » d'autrefois, à celles que je ruminais tristement dans un coin... je l'appelle, la voici : « Papa a mauvais caractère. Papa se fâche pour rien. Papa est souvent d'une humeur massacrante. » Alors ?... Alors quoi ? Je l'ai pensé et cela n'appartient qu'à moi. Je n'ai à en rendre compte à personne. Mais peut-être que j'exagère, que papa... — Peut-être... L'idée a glissé, elle est passée... elles sont discrètes maintenant, les idées, elles ne font que me traverser, elles m'obéissent, c'est moi qui décide de les retenir, de les faire rester le temps qu'il faut, quand il m'arrive d'avoir envie de les examiner, avant de les congédier. Aucune ne peut me faire honte, aucune ne peut m'atteindre, moi. Oh que je me sens bien... Jamais plus ça ne m'arrivera. Jamais...

— Mais si tu étais revenue là-bas ? Es-tu sûre de n'avoir pas redouté, même un seul instant, même très fugitivement que là-bas, auprès de ta mère, ça puisse te reprendre ?

— Je ne le pense pas. Il me semble qu'à ce moment-là, j'ai cru posséder pour toujours une force que rien ne pourrait réduire, une complète et définitive indépendance.

Quand Monsieur Laran vient chez mon père, il amène avec lui son fils Pierre qui a mon âge. Mon père estime beaucoup Monsieur Laran, c'est un savant, il enseigne dans une grande école, je crois que c'est à l'« École des Mines ». Mon père dit que Pierre est très intelligent, très fort en sciences, toujours le premier de sa classe. Je dois passer avec lui une grande partie de l'après-midi, et nous devons prendre l'air, il faut que nous allions jouer au parc Montsouris.

Nous marchons côte à côte dans la grande avenue morne. Pierre ressemble beaucoup à son père mais il paraît plus vieux que lui. Je sais bien qu'il devait être vêtu comme l'étaient les petits garçons de son âge, mais quand je le revois maintenant, je dois effacer le chapeau melon que je vois sur sa tête et le remplacer par un béret de matelot, je dois lui enlever le haut faux col blanc de son père, dénuder son cou, poser sur ses épaules un large col marin, transformer son pantalon en culotte courte... mais aucun de ces changements ne me permet de le transformer en petit garçon. C'est un vieux monsieur avec qui je me promène. Vieux et triste. On voit qu'il en sait long... sur quoi ? Je n'en sais rien, sur toutes sortes de choses que j'ignore... Il écoute mon babil d'enfant... mais il est rare que j'arrive, comme avec presque toutes les grandes personnes, à le faire sourire.

À la fin, je ne fais plus d'efforts. Nous nous taisons. Je pense à toutes sortes de choses qui m'amusent... Et lui ? Je ne me demande pas à quoi il pense, je suis trop occupée à préparer mon numéro... pour demain... non, demain ce sera lundi, mais jeudi, quand j'irai chez Micha... « Alors, tu t'es amusée ? — Non, idiot, et je ne te le pardonnerai pas... Tu aurais vraiment pu venir. Ton père est venu... » Monsieur Agafonoff est un savant aussi. En Russie il enseignait la géologie aux étudiants, il a écrit des livres. Quand il est arrivé et qu'on lui a demandé pourquoi il n'avait pas amené Micha il a fait une grimace, il a levé la main d'un geste désolé, tout son être irradiait de tendresse, de fierté, et il a dit... « Comment voulez-vous que j'arrive à attraper mon vaurien, je ne sais pas où il a disparu. »

Moi je le sais... « Jamais je n'ai vu un égoïste comme toi. Tu pouvais faire ça pour moi. » Mais je savoure déjà ce qui se prépare... et Micha me tend la perche... « Allons, raconte, c'était intéressant ? Où êtes-vous allés ? — Tu ne mérites pas que je te le raconte... — Mais si, tu ne peux pas le garder pour toi. Ça devait être désopilant... — Mais alors je commence depuis le début... Nous descendons l'escalier... Pierre me laisse passer dans la porte... — C'est pas vrai... »

La mère de Micha est entrée, elle s'assoit dans un fauteuil, elle me regarde gentiment de ses yeux verdâtres, son visage délicat et doux est blême, presque gris, elle chiffonne toujours dans sa main un petit mouchoir de batiste... elle est très malade... peut-être qu'elle le sait, Micha ne m'en parle jamais... mais elle rit quand même très facilement... Elle dit : « Il n'y a pas de quoi rire. Pierre est très bien élevé... » Nous ne demandons que ça... « Très bien élevé. Il est très bien élevé ! » Je peux continuer mon numéro. Il n'y a rien que j'aime tant qu'imiter les gens. Et qui trouver de mieux fait pour être imité que Pierre ? Je l'imite en train d'ouvrir la porte devant moi. Je m'imite inclinant dignement la tête comme une dame. Et puis je m'avance posément, je fais semblant de m'arrêter au bord d'un trottoir comme on doit le faire... je regarde prudemment d'un côté puis de l'autre... Nous pouffons... Madame Agafonoff dit : « Ah, tu vois Micha, toi un jour tu te feras écraser... » Je dis sentencieusement : « Oui, Micha, c'est ce qui t'attend. Et aussi tu seras un jour guillotiné... Quand j'ai raconté à Pierre tout ce que tu fabriquais... — Tu n'as pas fait ça ? — Si, je lui ai raconté... » Je peux en parler devant sa mère... rien ne l'attendrit autant... Micha a volé un bouquet à la devanture d'une fleuriste pour le lui offrir pour son anniversaire, et après quand il a avoué, quand il l'a rapporté, la fleuriste le lui a donné pour rien, et il est revenu avec le bouquet... « Je lui ai raconté que tu as volé... — Qu'est-ce qu'il a dit ? — Il a fait les gros yeux, il a dit c'est horrible... » Je marche comme Pierre, comme si je tenais une canne à la main... Puis je m'imite gambadant autour de lui comme un petit chien, faisant le beau pour obtenir un petit sourire... faisant la mendiante : Mon bon monsieur, juste un sourire... Mais il ne veut pas... J'invente encore je ne sais plus quoi, nous pleurons de rire, Madame Agafonoff s'essuie les yeux avec son petit mouchoir... « Ça suffit maintenant, les enfants, allez faire un tour... — Mais pas au parc Montsouris, maman... » Micha s'approche de sa mère, il a mon âge, mais il est très fort, et elle toute frêle... elle étend les mains devant elle d'un air apeuré... « Non, non, ne me touche pas, tu vas m'écraser », elle rit de tendresse, il la serre dans ses bras doucement, et nous partons.

Monsieur Agafonoff, un superbe bon géant, nous croise dans l'entrée... « Où allez-vous encore traîner vos chausses ? » Il prend Micha par les oreilles et fait semblant de le soulever... « Ah, petit chenapan... Il me dit : Fais attention. Dieu sait quelle idée folle peut lui passer par la tête, à ce crétin... » Mais il sait, je sais aussi que rien de mal ne peut m'arriver tant que je suis avec Micha...

Nous allons sur notre terrain de chasse, l'avenue d'Orléans, et nous commençons notre concours. Le gagnant sera celui qui recueillera des mains des camelots le plus de prospectus. Chacun chasse sur un trottoir. Puis change de trottoir avec l'autre. Il est interdit de redemander le même au même camelot et de ramasser ceux qui sont par terre. Puis nous rentrons chez Micha et installés dans sa chambre nous comptons notre butin : des piles de prospectus blancs, jaunes, bleus, roses...

— Que recevait le gagnant ?

— Je ne m'en souviens pas. Rien d'autre, il me semble, que la satisfaction de la victoire.

Lili est installée sur une chaise rehaussée par des coussins devant la table de la salle à manger recouverte pendant ses repas d'une toile cirée blanche. Elle tend son petit bras maigre vers le cordon de la sonnette qui pend de la suspension, ses yeux sont écarquillés, elle crie d'une voix stridente « Ça balance ! ça balance ! » Véra assise auprès d'elle saisit le cordon pour l'immobiliser... il est pourtant déjà tout à fait immobile... mais cela ne calme pas Lili, elle continue à crier « Ça balance ! » Alors Véra enroule le cordon autour de la suspension... et puis elle prend avec une cuiller un peu de nourriture dans l'assiette et l'approche de la bouche de Lili... « Mange, mon petit lapin... elle l'appelle ainsi ou encore : Mon petit lapin blanc... tu dois le manger, c'est bon pour toi... » Ce qu'elle essaie de lui faire avaler, c'est de la cervelle... il n'y a que Lili qui a le droit d'en avoir, elle est si fragile, il lui faut ce mets fortifiant et délicat... Moi, c'est la gentille grosse bonne qui un jour à la cuisine m'en a fait goûter un petit morceau... Elle essaie parfois ainsi de réparer comme elle peut des injustices qui l'indignent... « Ici, il n'y en a que pour la petite... C'est comme pour les bananes, vous me croirez si vous voulez, elles sont cachées en haut du placard à linge, derrière la pile de draps, pour que la grande n'en prenne pas... Si c'est pas malheureux de voir ça... » Je ne sais plus à qui elle parlait, mais je me souviens que c'est ainsi que m'a été révélé quelque chose de stupéfiant et que je ne soupçonnais pas : l'existence de cette cachette.

J'ai cette chance, la cervelle grise, laiteuse et molle ne me plaît pas... et les bananes, si j'en ai envie, je peux m'en acheter avec mon argent de poche... Je n'ai même pas besoin d'en demander à papa, c'est toujours lui le premier qui m'en donne... mais je ne crois pas m'être jamais acheté des bananes, il me semble que je n'y ai pas pensé...

Véra présente d'abord à Lili la bienfaisante cervelle d'un air calme, patient, mais on sent qu'elle commence à se fâcher... comme elle dit elle-même parfois : « Tout tremble en moi. » Lili fixe toujours d'un œil dilaté le cordon de la sonnette enroulé autour de la suspension et sa mère la rassure d'une voix de plus en plus sifflante... « Tu vois bien, ça ne se balance plus, alors mange... » Lili ouvre la bouche, crie Non ! et aussitôt la referme. Véra insiste...

Ses yeux d'un bleu très pâle deviennent comme transparents et dedans une petite flamme s'allume... il y a dans son regard fixe quelque chose d'obstiné, d'implacable qui fait penser au regard d'un tigre.

— Quelqu'un avait dit, tu te rappelles, qu'elle avait parfois les yeux d'une chatte sauvage...

— Et sur quel ton !... comme si c'était une de ses qualités les plus charmantes. Mais moi en ce temps-là, je n'avais jamais vu de chats sauvages, je n'avais observé au jardin d'acclimatation que les yeux des panthères ou des tigres. C'est eux que Véra me rappelait. Quand sa fureur devenait plus grande, elle ne pouvait plus parler, elle soufflait, l'air mena-

çant, à travers ses dents serrées, sa poitrine se soulevait...
Seule Lili avait le pouvoir de la transformer ainsi, de la
mettre «dans tous ses états»... Et Lili n'en avait pas peur.
On aurait dit qu'elle voyait là encore une preuve de l'amour
passionné de sa mère.

— Une passion unique. Lili était sa maladie. Et cette
fureur, on sentait qu'elle n'était pas vraiment dirigée contre
Lili, mais contre quelque chose qui était au-delà d'elle... c'est
sur cela que Véra fixait ce regard obstiné, implacable... sur
un destin qu'elle voulait vaincre à tout prix... elle compen-
serait, elle ferait plus encore que compenser tout ce qu'il
refuserait à son enfant, elle le transformerait coûte que
coûte pour en faire le meilleur, le plus enviable destin du
monde.

— Quant à moi, je n'avais pas peur non plus de Véra. Je
savais que je ne pouvais provoquer chez elle un agacement,
une impatience où il y avait de l'hostilité, mais une hostilité
distante et froide, que si elle craignait que je nuise en quoi
que ce soit à Lili. Et je m'en tenais toujours aussi loin que
possible... je le faisais sans effort, je n'avais aucune envie de
m'approcher de cet enfant hurleur, au visage crispé...

— Qui pouvait être dangereux... il lui était arrivé quand
vous étiez seules de se mettre à pousser des cris pour faire
croire que tu lui avais fait mal...

— Mais même dans ce cas, Véra ne s'est pas mise très
en colère contre moi...

— Elle ne se le permettait pas. Peut-être avait-elle peur de jouer le rôle disgracieux de la marâtre...

— Peut-être... et puis elle sentait auprès de moi la présence même lointaine, mais protectrice de mon père... Il me semble qu'à sa façon un peu sauvage, sans bien s'en rendre compte, elle le craignait...

— Oui, obscurément, elle voyait en lui son maître... Et ne peut-on pas penser aussi qu'elle s'était peut-être doutée que Lili avait joué une de ses comédies...

— Non, tout de même pas... Je ne crois pas qu'elle pouvait être à ce point lucide... pas dans ce cas... Et je ne crois pas non plus que Véra était capable d'éprouver le sentiment d'une injustice quand il s'agissait de Lili. Elle avait dû se borner à me dire « Ne la touche pas, je t'en prie. Laisse-la. » Et j'avais dû répondre « Mais je la laisse. »

Depuis la naissance de Lili, Véra est très maigre, toute pâle, papa est allé avec elle consulter un professeur de médecine qui a dit qu'elle était menacée de phtisie, qu'elle devait se suralimenter... Et depuis, à l'heure du goûter, on apporte sur la table de la salle à manger deux assiettes, une pour elle, une pour moi... je n'ai aucun besoin de ce repas supplémentaire, mais Véra m'a proposé de le prendre avec elle... Nos assiettes sont remplies de macaronis dorés et luisants de beurre frais, à chaque bouchée descend de la fourchette une longue coulée de fromage fondu qu'on tranche avec ses dents. Je dévore tout ce qu'il y a dans mon assiette et souvent quand je l'ai vidée Véra m'offre ce qui reste dans la sienne... «Finis-le si tu veux, moi, je n'en peux plus, j'ai beau me forcer...»

Quand Véra n'est pas préoccupée par Lili, quand elle l'oublie, elle redevient parfois toute jeune...

Dans une forêt des environs de Paris, sur un chemin bordé de chaque côté de grands arbres aux feuilles jaunissantes... le soleil est doux, on sent l'odeur délicieuse, vivifiante de la mousse... je me suis juchée sur mon vélo aidée par Véra et elle court un peu derrière moi, la main posée sur ma selle, puis elle me lâche... mais arrivée au tournant, ça y est, de nouveau, je tombe... nous rions... « Mais ce n'est pas possible, tu le fais exprès... C'est parce que tu as de l'appréhension, tu te crispes. Regarde-moi. » Je l'aide un peu à se hisser sur sa selle et elle dévale en pédalant, elle disparaît derrière le tournant... Mon père et moi l'applaudissons quand elle revient souriante... Et elle aussi applaudit et crie bravo! quand enfin j'ai réussi à franchir le tournant...

Et nous apprenons à monter à mon père... Mais il est si raide, si maladroit, si peu sûr de lui... nous courons auprès de lui en le tenant de chaque côté, mais dès qu'on le lâche, il s'arrête, il pose un pied par terre... « Non, décidément »... il a l'air penaud, gêné, il est mal doué, comme il paraît âgé... et moi, comme tout à coup il me fait pitié...

— Il n'avait pourtant que quarante-deux ou trois ans...

— Mais dans ce temps-là, on était vieux plus tôt que maintenant. Et il était si peu sportif... il m'a paru soudain tout vieux et il m'a semblé que Véra le voyait ainsi, et que lui-même avait senti qu'il était un vieillard auprès d'elle, quand elle courait avec moi en tenant sa selle, quand nous l'exhortions toutes deux, quand nous nous moquions gentiment de lui... Qui n'aurait dit que Véra était ma grande sœur, que nous étions ses deux filles...

Nous sommes assises, Véra et moi, à côté l'une de l'autre, à la table de la salle à manger couverte d'un épais tapis de peluche dorée. Je regarde ses petites mains fines, ses doigts agiles qui plongent dans un large bocal contenant du tabac... c'est un mélange que papa a préparé lui-même et dans lequel on a dispersé quelques morceaux de carotte crue pour empêcher qu'il se dessèche... Véra sort entre trois doigts une pincée de tabac, elle la triture légèrement pour bien séparer les feuilles, et puis elle l'étale sur un petit tube de métal ouvert en deux et posé devant elle sur un papier... elle tasse bien le tabac dans chacune des deux moitiés du tube, et elle les referme l'une sur l'autre avec un petit cla-quement... Alors elle prend dans une grande boîte de ciga-rettes vides que papa se fait envoyer de Russie, il ne supporte pas d'en fumer d'autres, une cigarette dont le bout en carton est aussi long que celui en papier. C'est dans ce cylindre en papier très fin que Véra introduit avec précau-tion le tube de métal... pousse délicatement le tabac qu'il contient, l'emplit...

— Mais comment ?

— Je ne le vois plus très bien. Il me semble qu'elle le fait en poussant une petite boule le long d'une rainure creusée dans le tube... Et puis elle retire le tube sans faire craquer le papier, elle tapote avec un doigt le bout plein de la cigarette pour égaliser le tabac, elle enlève une petite feuille qui dépasse...

J'observe chacun de ses gestes... je voudrais bien essayer... et elle me laisse prendre comme elle une pincée de tabac, la triturer, l'étaler sur chaque moitié du tube de métal ouvert, le refermer... et puis sortir de la boîte une cigarette vide... y introduire le bout du tube, pousser... Attention, pas trop fort... je le fais aussi doucement que je peux, mais le papier est si fragile, et voilà, il a craqué...

Je voudrais encore, laisse-moi juste une fois... — Bon, mais après c'est fini. Et de nouveau le papier se déchire... On ne peut plus recommencer, on ne peut pas gaspiller ces cigarettes, elles sont introuvables ici et papa ne peut pas s'en passer.

Mon père sort d'un tiroir de son bureau et me tend une carte postale sur laquelle je vois la tête brune d'une fillette, émergeant d'un grand bouquet de roses... « Regarde ce qui est écrit de l'autre côté... » Je reconnais l'écriture de mon oncle Iacha, je lis : Mon petit Tachok chéri, et d'autres mots tendres... Et toutes sortes d'images de lui se présentent à moi, il devait y en avoir beaucoup en ce temps-là, une en tout cas me vient, la seule qui soit restée, qui est toujours là...

Il marche auprès de moi en me tenant par la main, il est mince comme papa, mais plus grand et plus jeune... il est venu me chercher rue Flatters, lui il rencontre maman et même il échange quelques mots avec elle... Nous traversons la grande place devant le Petit Luxembourg... et juste avant de franchir le portillon, il s'arrête, il lâche ma main, il se penche vers moi, il enlève son gant et il reboutonne maladroitement le col de mon long manteau gris à pèlerine... il me regarde... ses yeux ressemblent beaucoup à ceux de papa, mais ils sont moins perçants, plus doux... de son visage étroit et pâle, de ses gestes coule sur moi une douceur tendre...

« On a trouvé cette carte postale sur lui... » Mon père n'a pas besoin de m'en dire davantage, je sais qu'il est mort asphyxié dans la cabine du bateau qui le transportait de Suède à Anvers où mon père l'attendait... C'est pour empêcher que mon oncle ne soit livré à «l'Okhrana», un nom terrifiant que j'ai appris ici, que mon père a dû quitter pour toujours la Russie... Papa a repris la carte postale... «Tu ne me la donnes pas?... — Non, je voulais que tu la voies, mais je vais la garder pour toi...» J'ai envie de pleurer, il me semble qu'il a envie de pleurer comme moi, je voudrais me jeter dans ses bras, me serrer contre lui, mais je n'ose pas... Ici il n'est plus comme autrefois... il est distant, fermé...

— Il ne t'appelait plus jamais Tachok...

— J'ai mis un certain temps à m'en apercevoir... Il me semble qu'alors je sentais seulement chez lui une sorte de réserve, une gêne... surtout quand Véra était présente, et elle l'était presque toujours. Mais même à un moment comme celui-là, quand nous sommes seuls, papa et moi avec entre lui et moi, entre nous seuls ce lien si fort, la gêne subsiste.

Qu'à cela ne tienne, puisque Véra a refusé de m'en acheter un, en une seconde ma décision est prise... Je reste un peu en arrière, je tends la main, je saisis un des petits sachets de dragées empilés à l'étalage d'une confiserie, je le cache dans mon large blouson à col marin et je rejoins Véra en soutenant d'une main le sachet appuyé contre mon ventre... Mais très vite on nous rattrape... la vendeuse m'a vue à travers la vitre... « La petite vient de voler un sachet de dragées... » Véra la toise, ses yeux se dilatent, deviennent d'un bleu intense... « Qu'est-ce que vous dites ? C'est impossible ! » Et je secoue la tête automatiquement, sans conviction je dis Non !... la vendeuse montre ou seulement regarde la boursouflure au bas de mon blouson, et cela suffit, je sors le sachet en le faisant passer sous le caoutchouc qui le retient et je le tends... Sans un mot nous suivons Véra qui se dirige vers la boutique, la traverse, va au fond où se trouve la caisse, fait des excuses et paie le prix du sachet... La caissière compatit... « Ah Madame, les enfants aujourd'hui... » La vendeuse veut tendre le paquet, mais Véra l'arrête... « Non, merci... » Elle refuse de le prendre.

Nous sortons, nous rentrons... je ne sais plus par quel moyen... sans parler, du moins certainement pas de ce qui vient de se passer.

Véra s'abstient, avec cette obstination que rien ne peut vaincre quand elle a pris une décision, de se mêler de mon éducation. Il me semble que ce doit être le résultat de discussions entre elle et mon père... je ne les ai jamais entendues, mais je me doute que mon père lui a fait des reproches à propos de moi...

— Bien que jamais tu ne te sois plainte...

— Je ne lui parlais jamais de Véra.

— Pourquoi, je me le demande... tu n'en avais pas peur...

— Non... C'est curieux d'ailleurs... d'une certaine façon, je me sentais à égalité avec elle.

— C'est plutôt, ne crois-tu pas, parce que tu craignais de faire de la peine à ton père...

— Peut-être... j'avais l'impression qu'il n'était pas heureux, il me semblait soucieux... il y avait chez lui quelque chose qui me donnait envie de le protéger...

À notre retour rien n'a été dit en ma présence, mais je savais que Véra lui raconterait avec indignation... et je me demandais si mon père ne lui reprocherait pas de m'avoir refusé... lui ne l'aurait sûrement pas fait, et alors ce ne serait pas arrivé...

Je pense que c'était cela que je me disais quand, comme toujours peu de temps après le dîner, je suis allée dans ma chambre, Véra dans la sienne et mon père dans son bureau...

Je suis couchée dans mon lit, je vais m'endormir, lorsque mon père entre, l'air fâché... «Comment as-tu pu faire une chose pareille?... Tu te rends compte dans quelle situation tu as mis Véra... et toi-même... quelle honte...», je sens qu'il est fatigué, que c'est pour lui une véritable corvée d'avoir l'air fâché, il se met à arpenter ma chambre, il me semble qu'il essaie de s'exciter... «C'est incroyable! une telle malhonnêteté, tant de dissimulation...» Il s'arrête devant mon lit... «Mais enfin, qu'est-ce qui t'a pris? — C'est parce que j'en avais tellement envie...» Par cette réponse je lui donne, sans le vouloir, l'élan, la force qui lui manquent...

— Sans le vouloir certainement, ta sollicitude pour lui n'allait pas aussi loin...

— Ces paroles le rendent furieux... Il les répète : «Parce que j'en avais envie! J'en avais envie! Alors je me permets n'importe quoi! Je me fais prendre comme une voleuse, je fais du mal aux autres... J'en ai envie, eh bien, je fais tout ce qui me passe par la tête... Voyez-vous ça, j'en ai envie... il me semble que maintenant il souffre et rage pour de bon... Mais moi, est-ce que tu t'imagines que je fais tout ce dont j'ai envie? Mais qu'est-ce que tu crois?... J'en ai tellement envie, alors plus rien ne me retient, plus rien ne compte...» Ces paroles furibondes me traversent et vont quelque part ailleurs, au-delà de moi... «Ah, quand on a une nature comme celle-là... je sens maintenant sur moi son dégoût... je peux même le dire, je n'exagère pas... sa haine... Alors je me tourne vers le mur... Il dit encore quelques mots comme... Ce sera joli plus tard, ça promet, ça donnera de beaux résultats...» et il sort en refermant rageusement la porte.

Je ne fais rien, je rêvasse assise à une grande table en fer forgé dans un jardin pelé, probablement celui d'une villa aux environs de Paris, est-ce Clamart ou Meudon ? où nous passons l'été. Adèle, venue de Bretagne pour s'occuper de Lili, est installée en face de moi à une petite distance de la table, la tête penchée sur un ouvrage de couture ou de broderie. Son visage est ridé et grisâtre, ses cheveux rassemblés sur sa nuque en un petit chignon sont grisonnants, elle est vêtue comme toujours d'une longue robe grise, son nez est courbé comme un bec, un coin de sa paupière fripée retombe sur son œil... comme chez certains oiseaux de proie... mais elle n'a pas cet air redoutable qu'ils ont quand ils se tiennent immobiles, somnolents, perchés dans leurs grandes cages. Elle est très vive, active, et je n'ai jamais décelé chez elle rien de méchant... ni rien de bon, on dirait qu'elle ne peut pas éprouver de sentiments.

Tout en cousant ou brodant elle me demande de lui passer ses ciseaux posés près de moi sur la table. Je les prends distraitement par n'importe quel bout et je les lui tends... Elle a levé la tête, elle fixe de ses petits yeux noirs et brillants, complètement inexpressifs, la pointe d'acier dirigée vers elle et de ses lèvres étroites sortent ces mots :

«On ne t'a donc pas appris chez ta mère que ce n'est pas comme ça qu'on doit passer des ciseaux?»

Je sais parfaitement bien comment on doit tendres des objets pointus, tels que les ciseaux et les couteaux, mais «chez ta mère» arrête en moi ce qui allait monter... «Oh pardon.»

«Chez ta mère...» alors que je n'ai jamais entendu personne faire devant Adèle la plus légère allusion à ma mère. Jamais rien qui puisse me faire penser qu'Adèle connaît son existence. Et il apparaît maintenant que non seulement elle connaît l'existence de ma mère, mais qu'elle ne perd jamais ma mère de vue... elle la voit à travers moi... Elle voit toujours sur moi sa marque. Des signes que je porte sans le savoir... des signes mauvais...

— Négatifs... Oui, négatifs chez toi, alors que ces mêmes signes sont chez les autres des signes positifs... Chez toi les signes s'inversent. C'est ainsi qu'Adèle, et aussi Véra, disent de toi avec une certaine nuance de mépris... «Oh, elle n'est pas difficile, elle mange n'importe quoi», ce qui laisse entendre que les continuels refus de nourriture et les fantaisies capricieuses de Lili sont le signe de son tempérament délicat... Comme d'ailleurs sa santé fragile est une qualité, chez toi la bonne santé est la marque d'une nature assez grossière, un peu fruste.

Et aussi le mot «nerveux» quand il est appliqué à Lili prend son sens positif... «Elle est nerveuse» veut dire : «Quelle force vitale elle a, comme elle est vivante!»

— Tout cela aurait dû me faire deviner ce que j'étais aux yeux d'Adèle, ce qu'en domestique parfaite, elle avait très vite saisi... C'est le genre de choses qu'elle comprenait aus-

sitôt, qu'elle devait se dire lorsque relevant et plissant la
peau d'une de ses joues maigres, elle faisait passer l'air entre
ses dents de côté avec un petit claquement qui semblait
signifier, «J'en connais un rayon... Je connais la vie. Je ne
m'en laisse pas conter. Ah que voulez-vous, c'est ainsi...» et
elle accompagnait ces réflexions généralement exprimées
par son petit claquement d'un hochement de tête et d'un
«Ah ben dame... Ah dame oui» qui marquait la certitude.
Aucun doute n'était possible. Elle avait dès son arrivée reni-
flé l'air de la maison, elle avait senti d'où «soufflait le vent»,
elle savait où était la faiblesse et où était la force. Qui était
l'enfant de Madame et qui était celui d'une femme que
Madame ne porte pas dans son cœur, contre qui Madame
a une dent, l'enfant auquel, si l'envie vous en prend, il est
permis de lancer, pas même par méchanceté, mais parce
que c'est ainsi, Ah dame on n'y peut rien... là-bas, d'où il est
venu, on ne sait pas ces choses-là, on ignore ces raffine-
ments... «On ne t'a donc pas appris, chez ta mère, comment on doit passer des ciseaux?»

— Il n'est pas facile de comprendre d'où pouvait te venir... comme jamais auparavant, jamais quand tu te préparais à entrer au cours Brébant... cette allégresse, cette impatience...

— Ce n'est tout de même pas ce qu'ont dit devant moi des amis de mon père... «Il faut absolument la mettre à l'école communale. Rien de mieux que cet enseignementlà. Des bases solides pour toute la vie...» je me souviens de chaque mot mais cela n'a pas suffi, je n'étais pas, à dix ans, un aussi raisonnable petit monstre...

— Non, cela ne peut pas expliquer cet étrange attrait pour cette école d'aspect rébarbatif de la rue d'Alésia. Ses murs de briques poussiéreuses étaient semblables à ceux de l'école de la rue des Feuillantines, ils étaient aussi mornes, aussi tristes.

— J'entendais de ma chambre qui donnait sur une cour adjacente à la cour de récréation, les explosions de cris, de hurlements des enfants, ils devaient être lâchés, comme nous l'étions autrefois, dans un carré couvert de gravier, de ciment, sans aucun arbre... et puis, au coup de sifflet, comme une chute, une brusque perte de conscience, ce complet silence.

Mais tandis que je regarde Véra, qui étale sur la table une grande feuille de papier bleu marine, ouvre en leur milieu les cahiers et les livres, les dispose en tous sens sur la feuille, les change de place, suppute, réfléchit, puis découpe, replie, referme, lisse, appuie, enfin contemple... elle a son air jeune, animé, elle paraît mieux aimer faire cela qu'emplir des cigarettes... ce que j'éprouve en l'observant ressemble à mon excitation joyeuse quand je regardais comme on découpait, enroulait, collait, peignait, attachait avec des fils d'or, entourait de rubans ce qui allait orner l'arbre de Noël.

Je ne demande pas à Véra de l'aider, je vois que c'est trop compliqué, je ne veux rien abîmer, mais elle me permet de coller à l'aide d'un petit bout de coton trempé dans un peu d'eau au fond d'une soucoupe, juste au milieu de chaque livre, de chaque cahier une grande étiquette blanche bordée d'un liséré bleu. Et puis avec mon nouveau porte-plume rouge et une plume neuve au bout large je trace de ma plus belle écriture en haut de l'étiquette : Nathalie $\mathcal{T}$ cherniak...

— Comment te revient-il tout à coup de si loin, ce $\mathcal{T}$ tout contourné, alors que plus tard tu as toujours écrit ton nom avec un T comme la lettre imprimée...

— Je le revois maintenant, ce $\mathcal{T}$ vieillot, qui s'était complètement effacé. L'autre, tout simple, fait de deux barres, je ne l'ai écrit qu'au lycée. Je le trouvais plus nouveau, assez osé...

— Tu te rappelles comme Véra en voyant un jour ce T t'avait dit... «Tiens, mais c'est plus joli... D'où t'est venue cette idée? Moi aussi, je vais l'écrire ainsi...» et cette approbation presque admirative de Véra... c'était si rare...

— J'en suis restée tout étonnée, très flattée.

Chaque matin à heure fixe, avant de refermer derrière lui la porte d'entrée, mon père disait à la cantonade : « Je suis parti. » Pas « Je pars », mais « Je suis parti »... comme s'il craignait d'être retenu, comme s'il voulait être déjà loin d'ici, là-bas, dans son autre vie... Et moi, je m'élançais au-dehors avec la même impatience...

— Mais tu ne te comparais pas à lui...

— Je ne me comparais à personne. J'essaie seulement de retrouver à travers ce que je percevais en lui ce qui se passait en moi quand mon cartable au bout de mon bras je dévalais l'escalier, courais vers l'école.

La vague odeur de désinfectant, les escaliers de ciment, les salles de classe entourant une cour sans arbres, leurs hauts murs d'un beige souillé, sans aucun autre ornement que le tableau noir au fond de l'estrade et une terne carte des départements, tout cela dégageait quelque chose qui me donnait dès l'entrée le sentiment, le pressentiment d'une vie...

— Plus intense ?

— « Plus » ne convient pas. « Autre » serait mieux. Une autre vie. Aucune comparaison entre ma vie restée là-bas, dehors, et cette vie toute neuve... Mais comment, par où la saisir pour la faire tant soit peu revenir, cette nouvelle vie, ma vraie vie...

— Fais attention, tu vas te laisser aller à l'emphase...

— Bon, essayons simplement d'isoler d'abord un de ses instants... en lui seul... permets-moi de le dire... en lui tant de plaisirs se bousculent...

Un peu engoncée dans mon épais tablier noir à longues manches fermé dans le dos, pas commode à boutonner, je me penche sur mon pupitre avec toutes les autres filles de ma classe, à peu près de la même taille et du même âge que moi... nous écrivons sur une copie où chacune a d'abord inscrit en haut et à gauche son prénom et son nom, en haut et à droite la date, et au milieu le mot « Dictée » qu'il a fallu, comme le nom et la date, souligner en faisant habilement glisser sa plume le long d'une règle sans qu'il y ait de bavures. Le trait doit être parfaitement droit et net.

La maîtresse se promène dans les travées entre les pupitres, sa voix sonne clair, elle articule chaque mot très distinctement, parfois même elle triche un peu en accentuant exprès une liaison, pour nous aider, pour nous faire entendre par quelle lettre tel mot se termine. Les mots de la dictée semblent être des mots choisis pour leur beauté, leur pureté parfaite. Chacun se détache avec netteté, sa forme se dessine comme jamais celle d'aucun mot de mes livres... et puis avec aisance, avec une naturelle élégance il se rattache au mot qui le précède et à celui qui le suit... il faut faire attention de ne pas les abîmer... une légère angoisse m'agite tandis que je cherche... ce mot que j'écris est-il bien identique à celui que j'ai déjà vu, que je connais ? Oui, je crois... mais faut-il le terminer par « ent » ? Attention, c'est un verbe... souviens-toi de la règle... est-il certain que ce mot là-bas est son sujet ? Regarde bien, ne passe rien... il n'y a plus en moi rien d'autre que ce qui maintenant se tend, parcourt, hésite, revient, trouve, dégage, inspecte... oui, c'est lui, c'est bien lui le sujet, il est au pluriel, un « s » comme il se doit le termine, et cela m'oblige à mettre à la fin de ce verbe « ent »...

Mon contentement, mon apaisement sont vite suivis d'une nouvelle inquiétude, de nouveau toutes mes forces se tendent... quel jeu peut être plus excitant ?

La maîtresse nous prend nos copies. Elle va les examiner, indiquer les fautes à l'encre rouge dans les marges, puis les compter et mettre une note. Rien ne peut égaler la justesse de ce signe qu'elle va inscrire sous mon nom. Il est la justice même, il est l'équité. Lui seul fait apparaître cette trace d'approbation sur le visage de la maîtresse quand elle me regarde. Je ne suis rien d'autre que ce que j'ai écrit. Rien que je ne connaisse pas, qu'on projette sur moi, qu'on jette en moi à mon insu comme on le fait constamment là-bas, au-dehors, dans mon autre vie... je suis complètement à l'abri des caprices, des fantaisies, des remuements obscurs, inquiétants, soudain provoqués... est-ce par moi ? ou est-ce par ce qu'on perçoit derrière moi et que je recouvre ? Et aussi il ne pénètre rien jusqu'ici de cet amour, « notre amour », comme maman l'appelle dans ses lettres... qui fait

lever en moi quelque chose qui me fait mal, que je devrais
malgré la douleur cultiver, entretenir et qu'ignoblement j'essaie d'étouffer... Pas trace ici de tout cela. Ici je suis en sécurité.

Des lois que tous doivent respecter me protègent. Tout
ce qui m'arrive ici ne peut dépendre que de moi. C'est moi
qui en suis responsable. Et cette sollicitude, ces soins dont
je suis entourée n'ont pour but que de me permettre de
posséder, d'accomplir ce que moi-même je désire, ce qui
me fait, à moi d'abord, un tel plaisir... « Mais Nathalie que
t'est-il encore arrivé avec ce verbe "apercevoir"? Tu lui as
de nouveau mis deux p! — Oh, mais comment est-ce possible?... c'est parce que j'ai de nouveau pensé à "apparaître"... — Écoute, mon petit, tu sais ce que tu dois faire,
tu vas écrire vingt fois : "Je n'aperçois qu'un p au verbe apercevoir." » Et j'admire tant d'ingéniosité.

C'est « pour mon bien », comme tout ce qu'on fait ici,
qu'on s'efforce d'introduire dans mon esprit ce qui est exactement à sa mesure, prévu exprès pour lui...

— Pas tout à fait pourtant... cela paraît souvent difficile
à saisir, un peu trop contourné ou trop vaste...

— Oui, juste suffisamment pour empêcher mon esprit
de se relâcher, de s'amollir, pour l'obliger à s'étirer le plus
possible et à faire place à ce qui se présente, à ce qui doit
le remplir entièrement... les nombres de la table de multiplication ou les noms des départements, et puis ceux des
préfectures, et puis, encore un effort, pour que parviennent
à l'occuper, à bien s'y installer les noms des sous-préfectures... les voici enfin tous là, à leur place... ils obéissent à
mon appel, il suffit que je prononce le nom d'un départe-

ment et aussitôt les noms des préfectures et des sous-préfectures docilement l'un après l'autre se présentent... Seule une maîtrise parfaite peut donner un pareil contentement.

Même là-bas, dehors, l'école me protège. On passe derrière ma porte sans s'arrêter, on me laisse travailler...

Et moi, par contre, je peux entrer dans le cabinet de travail de mon père quand revenu à la maison il se repose dans son fauteuil de cuir vert foncé, les jambes allongées, après les longues journées passées debout devant ses éprouvettes et ses cornues... mais il dit que pendant qu'il travaille il ne sent jamais la fatigue... Il pose aussitôt que j'entre les revues de chimie qu'il est en train de parcourir ou son épais journal du soir... Il regarde le cahier que je tiens à la main...

— C'est dans la classe du certificat d'études que tu lui apportais ces problèmes qui, eux, ne paraissaient vraiment pas faits à la mesure de ton esprit.

— J'avais beau essayer de me rappeler comment il fallait raisonner, je ne parvenais pas à trouver le nombre de litres d'eau que déversaient des robinets ou bien ces terribles heures d'arrivée des trains qui se croisent... Mon père trouvait ces nombres en un instant par le mystérieux, miraculeux procédé de l'algèbre... « Voici quel doit être le résultat... Mais toi, il faut que tu l'obtiennes par l'arithmétique... Et ça, moi, on ne me l'apprenait pas. » Et nous voici tous deux nous efforçant, mon père assis auprès de moi à son bureau et moi cherchant à retrouver ce que la maîtresse a expliqué... que j'avais cru retenir, et ça s'est échappé... parfois, avec nos forces rassemblées nous parvenons à trouver au bout de notre raisonnement le nombre, c'est lui, c'est celui que mon père a obtenu grâce à l'algèbre.

La même satisfaction nous emplit, nous détend, elle affleure sur nos visages quand nous entrons dans la salle à manger, nous mettons à table et sans plus parler de notre problème prenons avec les autres notre repas.

Mais parfois, nous n'avons pas réussi à trouver et après le dîner, nous nous remettons à chercher.

— Il est arrivé que ton père finisse par te dire qu'il fallait que tu ailles te coucher... il irait demander de l'aide à tel ou tel ami qui habite tout à côté... « Lui il saura, il est plus fort que moi en cette matière... Mais quelle idée de faire résoudre de tels problèmes par des enfants ! »

— Je suis presque ou même complètement endormie quand papa entre... « Tu dors ? — Non, ce n'est rien... Alors ils ont trouvé ? — Oui, c'est très simple, comment n'y avons-nous pas pensé ? » Papa s'assoit près de moi sur mon lit et il m'explique... Cela ne me paraît pas si simple... Ça flotte... emmêlé... et tout d'un coup ça se sépare en éléments très nets qui viennent comme d'eux-mêmes se mettre en place, à leur juste place... il ne peut y en avoir d'autre... dans un ordre impeccable ils se succèdent jusqu'à ce nombre qui les attend, qui est le signe indubitable de leur accomplissement... « Je vais l'écrire tout de suite. — Alors vite, dépêche-toi, il est tard. »

Je ne me rappelle plus où ça s'est passé... dans le brouillard qui le recouvre je ne perçois que la forme très vague de mon père assis à côté de moi. Il me semble qu'il est tourné de profil, il ne me regarde pas quand il m'annonce je ne sais plus en quels termes que ma mère propose de me reprendre.

— Au bout d'un an et demi... ou peut-être de deux ans...

— Il me dit qu'elle y met une condition : elle ne pourra pas venir elle-même ou me faire chercher, il faut que ce soit lui qui se charge de m'envoyer chez elle... Et il sait parfaitement que si elle y tient vraiment, elle peut très bien, elle en a les moyens... et quant à lui, cette fois, il ne lèvera pas un doigt pour l'aider, à moins... «À moins que ce soit *toi* qui le demandes... »

Il n'est pas difficile de retrouver ce qui a dû emplir le silence qui a précédé ma réponse : le choc produit par cette brusque réapparition de ce à quoi j'avais été arrachée, que je m'étais efforcée d'écarter, que les lettres venues de là-bas, toujours plus lointaines, comme irréelles, avaient aidé à éloigner... et sous ce brutal rapprochement la découverte d'un nouvel éloignement... et puis ce que mon père fait peser sur moi, cette responsabilité de la décision que moi seule je dois prendre... et quoi encore de tout aussi vraisemblable ?... mais cette reconstitution de ce que j'ai dû éprouver est pareille à une maquette en carton reproduisant en un modèle réduit ce qu'avaient pu être les bâtiments, les maisons, les temples, les rues, les places et les jardins d'une ville engloutie...

— Pas entièrement...

— Quelque chose s'élève encore, toujours aussi réel, une masse immense... l'impossibilité de me dégager de ce qui me tient si fort, je m'y suis encastrée, cela me redresse, me soutient, me durcit, me fait prendre forme... Cela me donne chaque jour la sensation de grimper jusqu'à un point culminant de moi-même, où l'air est pur, vivifiant... un sommet d'où si je parviens à l'atteindre, à m'y maintenir je verrai s'étendre devant moi le monde entier... rien ne pourra m'en échapper, il n'y aura rien que je ne parviendrai pas à connaître...

— Il est curieux que tu aies éprouvé précisément le sentiment que l'enseignement primaire cherchait à donner...

— J'ai été étonnée en apprenant beaucoup plus tard que c'était là un des buts que cet enseignement voulait atteindre. En tout cas, avec moi, il y a réussi.

— L'école dominait ton existence... elle lui donnait un sens, son vrai sens, son importance... Quand tu t'es sentie si malade, tu avais la rougeole, tu as prié le Ciel...

— Oui, c'est comique, je l'implorais de me laisser vivre jusqu'à ce que «je sache tout»...

— Et quelle perte d'équilibre, quel désarroi après, au lycée, quand tu t'es aperçue que ce monde bien clos, entièrement accessible, s'ouvrait de toutes parts, se défaisait, se perdait...

— Mais pour en revenir à ma réponse, je ne l'ai pas fait attendre longtemps... le temps d'un léger recul... ce sera douloureux de trancher moi-même ce lien qui m'attache encore à ma mère, il n'est plus très bien fixé, mais à certains moments je le sens, il se met à me tirailler... une douleur pareille à celles, latentes, que réveille l'atmosphère ambiante, le froid, l'humidité... mais les paroles de mon père... «Si elle y tient vraiment, elle peut très bien...» agissent comme un anesthésiant qui m'aide à achever d'arracher sans trop souffrir ce qui s'accroche encore... voilà, je l'ai fait, «C'est ici que je veux rester.»

Je ne sais pas si mon père m'a serrée dans ses bras, je ne le pense pas, ça ne m'aurait pas fait sentir davantage la force de ce qui nous unit, et son soutien total, sans condition, rien n'est exigé de moi en échange, aucun mot ne doit aller lui porter ce que je ressens... et même si je ne sentais pas envers lui ce que les autres appellent l'amour, mais ce qui entre nous ne se nomme pas, cela ne changerait rien, ma vie lui serait aussi essentielle... plus peut-être que la sienne ?... en tout cas autant...

Je savais que dans la joie qu'il comprimait en lui il y avait aussi la certitude que j'avais fait pour moi d'abord le bon choix.

— Pour lui-même... mais y a-t-il pensé ? il est clair que ta présence à son foyer ne pourrait que rendre sa vie plus difficile... il est apparu plus tard qu'avant de prendre la décision de se remarier, il avait demandé à ta mère si elle consentirait à te laisser à lui et qu'elle n'avait pas même daigné répondre...

— Comment savoir si ne s'est pas glissée en lui une amertume... mais tout ce que j'ai perçu, c'est son air soulagé, détendu, et une complicité joyeuse avec moi que j'entends encore dans sa voix quand il me dit : « Tu sais, il suffit que je ne bouge pas... Si je ne t'envoie pas moi-même là-bas, il n'y a aucune chance qu'on vienne te reprendre. »

Le mercredi après-midi, en sortant de l'école, puisqu'il n'y a pas de devoirs à faire pour le lendemain, je vais parfois jouer avec Lucienne Panhard, une fille de ma classe. Elle a le même âge que moi à deux mois près et la même taille, son mince visage est très gai, ses yeux sont légèrement bridés, et ses deux grosses nattes dorées que sa mère met longtemps à tresser lui descendent plus bas que la taille, pas comme mes deux «queues de rat», qui m'arrivent aux épaules et que je peux moi-même très vite natter. Lucienne m'attend au coin de la rue d'Alésia et de la rue Marguerin pendant que je cours déposer mon cartable et prévenir que je vais jouer chez elle.

Le café de ses parents avec «Panhard» inscrit en grosses lettres rouges au-dessus de la porte est tout au bout de l'avenue du parc Montsouris, juste à côté de l'entrée du parc, à droite, à l'angle de deux rues.

J'aime ce petit café très clair, bien astiqué, les parents de Lucienne ont l'air jeune et gentil, ils rient souvent, ils plaisantent... Je suis contente quand Madame Panhard nous laisse laver les tasses et les verres, c'est une faveur que nous devons lui demander, en promettant de faire bien attention... Mais ce que je préfère, c'est poser sur les petites tables, devant les clients, un verre de vin ou une tasse de café, dire « Voici Madame », sur le ton d'une vraie serveuse, ramasser la monnaie, « Merci Monsieur », la rapporter à la caisse, guetter le départ des clients pour me précipiter, desservir, bien essuyer la table avec une éponge mouillée. Je ne sais si c'est mon zèle, mon amusement qui se communiquent à Lucienne, mais elle qui pourtant peut avoir chaque jour cette chance veille aussi jalousement que moi à ce que chacune de nous serve à son tour... les clients assis aux tables sont rares à cette heure-là, nous nous les disputons, parfois Madame Panhard intervient, elle choisit entre nos mains tendues, elle écarte celles-ci... Non, cette fois, ce n'est pas à toi... elle dispose le verre ou la tasse convoités entre celles-là... Tiens, porte-la, c'est ton tour... Et toi tu le feras la prochaine fois... Pour notre goûter, elle nous laisse choisir sous la cloche de verre un croissant ou une brioche ou une madeleine, elle donne à chacune de nous une barre de chocolat et elle nous verse à chacune un verre de limonade que nous buvons debout près du comptoir... Quand nous en avons assez de jouer à la plongeuse, à la serveuse, nous allons dans le parc, près de l'entrée, nous sautons à la corde « jusqu'au vinaigre », nous rattrapons une petite balle de caoutchouc que nous lançons en l'air de plus en plus haut, nous essayons de jongler avec deux, puis trois balles.

Nous ne nous parlons pas beaucoup, et je ne sais pas ce qui fait que je ne m'ennuie jamais avec elle, ni elle, il me semble, avec moi.

C'est la leçon de récitation... je regarde la main de la maîtresse, son porte-plume qui descend le long de la liste de
noms... hésite... si elle pouvait aller plus bas jusqu'à la lettre
T ?... elle y arrive, sa main s'arrête, elle lève la tête, ses yeux
me cherchent, elle m'appelle...

J'aime sentir cette peur légère, cette excitation... Je sais
très bien le texte par cœur, je ne risque pas de me tromper, d'oublier un seul mot, mais il faut surtout que je parte
sur le ton juste... voilà, c'est parti... ne pas faire trop monter, trop descendre ma voix, ne pas la forcer, ne pas la faire
vibrer, ça me ferait honte... dans le silence ma voix résonne,
les mots se détachent très nets, exactement comme ils doivent être, ils me portent, je me fonds avec eux, mon sentiment de satisfaction...

— Aucune actrice n'a pu en éprouver de plus intense...

— Aucune. Bien qu'il n'y ait pas d'applaudissements, mais
quels applaudissements, quelles ovations peuvent donner
plus de joie que ne m'en donne la certitude d'avoir atteint
la perfection... ce que confirme, comme il se doit, comme

il est juste, la maîtresse quand elle prononce ces mots où il n'y a pas de place pour la moindre réserve : « C'est très bien. Je te mets dix. »

Tiebia podbrossili... c'est une des rares fois où je me souviens dans quelle langue Véra m'a parlé, elle parlait parfois français avec moi et toujours avec Lili pour ne pas «embrouiller la petite avec deux langues»... mais cette fois je le sais, c'est en russe qu'elle me l'a dit... en français elle aurait dû dire «on t'a abandonnée», ce qui ne serait qu'un mou, exsangue équivalent des mots russes... le verbe russe dont elle s'est servie...

— Mais où était-ce? À quel propos?

— Nous marchions côte à côte dans un jardin morne, sur le sable d'une allée qui sinuait entre des pelouses... ce ne pouvait être que le parc Montsouris... Véra très maigre et pâle, coiffée d'un large chapeau de velours marron, le cou entouré d'un boa, poussait le landau de Lili, quand elle m'a dit : *Tiebia podbrossili...* Mais alors à quel propos? cela, je ne le retrouve pas... peut-être à propos de rien, comme ça, parce que ça l'a traversée tout à coup... elle n'a pas cherché à le retenir, ou elle n'a pas pu... les mots russes ont jailli durs et drus comme ils sortaient toujours de sa bouche...

podbrossili un verbe qui littéralement signifie « jeter », mais qui a de plus un préfixe irremplaçable, qui veut dire « sous », « par en dessous » et cet ensemble, ce verbe et son préfixe, évoque un fardeau dont subrepticement on s'est débarrassé sur quelqu'un d'autre...

— Comme fait le coucou ?

— Oui, mais il me semble que dans l'acte du coucou il y a de la précaution, de la prévoyance, tandis que ce mot russe évoque un rejet brutal en même temps que sournois...

— Tu ne t'es sûrement pas occupée à ce moment-là à découvrir toutes les richesses que ce mot recèle...

— Je n'en étais pas émerveillée comme je le suis maintenant, mais ce qui est certain, c'est que je n'ai pas perdu une parcelle... quel enfant la perdrait ?... de tout ce que ce verbe et le « tu » qui le précédait *tiebia podbrossili*, me portaient...

Et curieusement, en même temps que la rancune de Véra contre ceux qui se sont débarrassés sur elle de ce poids et qui l'obligent à s'en charger, en même temps que sa rage contre cette charge que j'étais pour elle... oui, en même temps que ces mots me blessaient, leur brutalité même m'apportait un apaisement... On ne veut pas de moi là-bas, on me rejette, ce n'est donc pas ma faute, ce n'est pas de moi qu'est venue la décision, je dois rester ici que je le veuille ou non, je n'ai pas le choix. Il est clair, il est certain que c'est ici et nulle part ailleurs que je dois vivre. Ici. Avec tout ce qui s'y trouve.

— Et tu savais déjà que le caractère de Véra, ses rapports avec toi n'étaient qu'une partie, pas la plus importante, de ce «tout».

En entrant dans ma chambre, avant même de déposer mon cartable, je vois que mon ours Michka que j'ai laissé couché sur mon lit... il est plus mou et doux qu'il n'a jamais été, quand il fait froid je le couvre jusqu'au cou avec un carré de laine tricotée et on n'aperçoit que sa petite tête jaune et soyeuse, ses oreilles amollies, les fils noirs usés de sa truffe, ses yeux brillants toujours aussi vifs... il n'est plus là... mais où est-il? Je me précipite... « Adèle, mon ours a disparu — C'est Lili qui l'a pris... — Mais comment est-ce possible ? — Elle a réussi à marcher jusqu'à ta chambre... la porte était ouverte... — Où est-il ? Où l'a-t-elle mis ? — Ah elle l'a déchiré... ce n'était pas difficile, il ne tenait qu'à un cheveu, ce n'était plus qu'une loque... — Mais on peut le réparer... — Non, il n'y a rien à faire, je l'ai jeté... »

Je ne veux pas le revoir. Je ne dois pas dire un mot de plus sinon Adèle, c'est sûr, va me répondre : Des ours comme ça, on en trouve tant qu'on veut, et des tout neufs, des bien plus beaux... Je cours dans ma chambre, je me jette sur mon lit, je me vide de larmes...

— Jamais il ne t'est arrivé d'en vouloir à quelqu'un comme à ce moment-là tu en as voulu à Lili.

— Après j'ai mis hors de sa portée les boîtes russes en bois gravé, la ronde et la rectangulaire, le bol en bois peint, je ne sais plus quels autres trésors, mes trésors à moi, personne d'autre que moi ne connaît leur valeur, il ne faut pas que vienne les toucher, que puisse s'en emparer ce petit être criard, hagard, insensible, malfaisant, ce diable, ce démon...

Je demande à Véra, je ne sais plus à quel propos, mais peu importe, «Pourquoi on ne peut pas faire ça?» et elle me répond «Parce que ça ne se fait pas» de son ton buté, fermé, en comprimant les voyelles encore plus qu'elle ne le fait d'ordinaire, les consonnes cognées les unes contre les autres s'abattent, un jet dur et dru qui lapide ce qui en moi remue, veut se soulever...

«Parce que ça ne se fait pas» est une barrière, un mur vers lequel elle me tire, contre lequel nous venons buter... nos yeux vides, globuleux le fixent, nous ne pouvons pas le franchir, il est inutile d'essayer, nos têtes résignées s'en détournent.

— Est-ce qu'à un tel moment, l'idée ne t'est pas venue de te servir de ce que ta mère t'avait remis avant de te quitter... tu l'avais quelque temps conservé...

— Oui, ces paroles de maman dans la chambre d'hôtel à Berlin, le soir qui a précédé notre séparation : «Véra est bête»... un paquet qu'elle m'a donné à emporter, comme

ceux qu'on remet à son enfant qu'on va placer comme
interne au collège... Tiens, mon chéri, ça pourra te servir
quand tu seras loin de moi, tu pourras en avoir besoin là-
bas...

— Non, là il faut que je t'arrête, tu te laisses entraîner,
jamais ta mère n'a songé à te donner ça comme ces provi-
sions ou ces remèdes familiaux dont on munit les enfants
qu'on amène en pension... C'est toi qui l'as contrainte par
tes questions : « Qu'est-ce que l'oncle t'a dit, maman ? De
qui il t'a parlé ? » C'est parce qu'elle a fini par te céder qu'elle
t'a répondu : « L'oncle m'a dit que Véra est bête »... mais
pendant qu'elle prononçait ces mots, elle t'a perdue de vue,
elle ne te voyait plus, ce n'est pas à toi qu'elle pensait, mais
à quelque chose qui lui donnait un air surpris et amusé...
quelque chose de drôle que l'oncle lui avait confié et qu'un
instant elle a regardé... c'est de cette façon qu'avec son
insouciance, son inconscience de toujours, ne songeant pas
à ce que tu en ferais, elle t'a laissée le prendre et l'emporter avec toi : « Véra est bête. »

— Et pendant les premiers temps je l'ai gardé, ça en
valait la peine, je n'avais jamais rien vu de semblable. Une
grande personne affublée d'un bonnet d'âne invisible... Il est
clair que mon père ne le sait pas, ni Véra elle-même, ni qui
que ce soit d'autre, sauf moi et l'oncle qui vient parfois
comme si de rien n'était les voir, elle et papa, et n'en laisse
absolument rien paraître.

« Véra est bête »... c'est quelque chose qui doit manquer
dans sa tête et la pauvre ne s'en doute pas, il n'y a rien à
faire, elle est ainsi faite... mais au-dehors à quoi est-ce qu'on
s'en aperçoit ? Qu'est-ce que l'oncle voit ? Il lui parle exac-

tement comme à tout le monde... mais moi, quand elle m'interdit ou me recommande de faire telle ou telle chose... quand elle dit ce qu'elle pense de quoi que ce soit... est-elle capable de penser ? peut-elle comprendre ? puisqu'elle est « bête ».

C'est pénible de ne pas pouvoir me fier à ce qu'elle me dit, d'être obligée de toujours m'interroger et il n'y a personne à qui me confier. À qui peut-on révéler pareille chose ?

— Il me semble qu'un jour, peu de temps après ton arrivée, avant la naissance de Lili, quand elle s'occupait de toi le mieux qu'elle pouvait... est-ce que je rêve ? est-il possible que tu aies fini par fondre en larmes et que tu lui aies dit...

— C'est à peine croyable, mais je le revois... J'ai réfléchi comme j'ai pu à ce que Véra venait de me demander de faire, puisqu'il ne m'est pas possible de croire tout ce qu'elle me dit, j'ai trouvé qu'elle n'avait pas raison, j'ai donc refusé de l'écouter...

— Mais qu'était-ce donc ?

— Je ne sais pas, je ne retrouve pas mon désespoir, ma solitude, ce poids énorme dont j'ai besoin de me délivrer... elle m'interroge, elle ne comprend pas... « Pourquoi es-tu si entêtée ? Pourquoi est-ce que tu refuses de m'écouter ?... — Je ne peux pas le dire... — Mais si, dis-le... — Non, je ne peux pas... et enfin, entre mes sanglots... Je ne peux pas t'écouter parce que... parce que... tu... es... bête... On me l'a dit... — Mais qui ? » Je ne sais pas combien de temps il a fallu à ces mots qui m'étouffaient pour se frayer un chemin et lui exploser au visage : « C'est l'oncle qui est venu me chercher à Berlin... il l'a dit à maman. »

Aussi invraisemblable que ce soit, il est malheureusement certain que ça s'est passé. Mais c'était au début de mon séjour à Paris, quand j'étais encore ce faible petit enfant titubant, à peine sorti de ses « idées », qui s'accrochait, se confiait, avouait, risquait d'exaspérer, de provoquer la rancune, l'hostilité pour ne pas rester seul, à l'écart, portant en lui-même quelque chose qu'il ne faut laisser voir à personne, et qui le ronge, le possède...

Mais je suis ici depuis près de deux ans, je ne suis plus cet enfant fou... Les mots « Véra est bête » ne me reviennent plus... D'ailleurs aucun mot ne vient s'appliquer sur elle...

— Quand on y pense, tu ne lui en as jamais appliqué aucun. Même « méchante »...

— C'est curieux, quand il m'est arrivé d'entendre d'autres enfants dire que ma belle-mère était méchante, cela me surprenait... aussitôt surgissaient des images qui ne trouvaient pas de place dans « méchante »...

En tout cas, quand elle m'a dit, et elle a dû me le dire plus d'une fois, « Parce que ça ne se fait pas »... « Véra est bête » n'a pas été comme ces anticorps qui permettent à l'organisme de lutter contre une invasion de microbes. Non, dans ce cas, « Véra est bête », même si je l'avais eu à ma disposition, n'aurait pas pu me servir d'antidote.

J'avais touché à quelque chose dont une fois pour toutes

elle s'est interdit de s'approcher, elle n'est pas à ce point stupide, elle n'a pas de temps à perdre.

« Ça ne se fait pas » arrête tout examen, rend inutile toute discussion.

« Ça ne se fait pas » est comme ces empereurs orientaux d'autrefois devant qui leurs sujets s'inclinaient sans jamais oser lever leurs yeux jusqu'à leur face.

Et moi, j'avais eu l'outrecuidance de vouloir observer de près, palper... qu'y a-t-il donc là qui empêche ?... « Pourquoi ne peut-on pas faire ça ? » Et ce qui dans mon esprit avait permis à ces mots absurdes, indécents de se former, de grandir, de remuer, de se montrer, avait reçu un bon coup de règle bien appliqué : « Parce que ça ne se fait pas. »

Un coup bien mérité quand on était assez niais, assez présomptueux pour vouloir se faire expliquer, pour vouloir comprendre... pourquoi pas pour juger ?... ou même, si l'explication ne paraît pas satisfaisante, pour aller faire, à la barbe de la terre entière, ce qui ne se fait pas ?

Quand on vous a assené « Parce que ça ne se fait pas », on est... j'allais dire étourdi, assommé... c'est ce qu'on pourrait penser, mais en réalité une rage impuissante produisait en moi comme des trépignements, des gigotements... cette fureur aveugle, absurde que provoque un objet contre lequel on est venu se cogner durement, on a envie de le cogner à son tour, j'avais envie de taper dessus, de lui donner des coups. Mais rendre coup pour coup à « Parce que ça ne se fait pas », en lui assenant : « Et pourquoi ? Pourquoi ça ne se fait pas ? » Non, je ne le pouvais pas, je n'en avais pas le courage...

— Et pourtant le risque, vu de l'extérieur, n'était pas grand...

— Mais par contre, à l'intérieur de Véra, ce que ces mots pourraient provoquer... cette déflagration silencieuse, ce bouillonnement furieux, ces âcres fumées, ces coulées incandescentes... jamais je n'ai osé volontairement déclencher cela, jamais je n'ai permis que parvienne jusqu'à son oreille, même proféré doucement, même chuchoté par moi : «Et pourquoi est-ce que ça ne se fait pas?»

Quand viennent des amis, mon père se transforme. Il n'a plus son air fermé, il se détend, il s'anime, il parle beaucoup, il discute, il évoque des souvenirs, il raconte des anecdotes, il s'amuse et il aime amuser. Tous ceux qui sont assis autour de lui à la grande table ovale de la salle à manger le regardent avec sympathie, avec admiration, il est si spirituel, si intelligent... même maman m'a dit une fois, c'est une des rares remarques que je lui aie jamais entendu faire sur lui... « Ton père est très intelligent... »

— Elle l'a dit à propos de rien, un jour à Pétersbourg, d'un ton détaché, indifférent, comme si elle faisait là une simple constatation à laquelle elle n'attachait pas grande importance...

— Si c'est un dimanche après-midi, Micha est là avec moi et il y a aussi ses parents et Monsieur et Madame Péréverzev, Monsieur Ivanov, un grand ami de mon père, et Monsieur Bilit qui a cette habitude d'arriver n'importe quel soir de la semaine à l'improviste, et s'il se trouve que c'est l'heure du dîner, on met pour lui un couvert de plus et Véra que son appétit insatiable étonne et amuse, même si le repas est assez copieux, lui fait préparer pour son dessert une énorme omelette aux confitures, son plat préféré. Monsieur Bilit est très fort en mathématiques. Il a perdu un bras, son bras gauche, dans je ne sais quel combat, quel attentat, et une main en bois gantée de cuir marron dépasse de sa manche. Il y a là encore deux sœurs assez âgées et d'autres invités que je connais moins, dont je me souviens moins bien.

Quand je regarde ces femmes et ces hommes rassemblés autour de la table, des gens vieillissants, un peu mélancoliques et fatigués, je me dis qu'on ne pourrait jamais deviner à quel point ils sont hors du commun, des êtres extraordinaires, des révolutionnaires, des héros qui ont affronté sans flancher les plus terribles dangers, tenu tête à la police du tzar, lancé des bombes... ils ont marché « par étapes », les pieds enchaînés, jusqu'au fond de la Sibérie, ils ont été enfermés dans des cachots, condamnés à la pendaison, et ils ont attendu la mort avec sérénité, prêts, quand ils seraient au pied du gibet, quand le bourreau s'approcherait d'eux pour leur envelopper la tête de l'atroce cagoule, pour passer autour de leur cou la corde glissante enduite de savon, à crier une dernière fois Vive la Révolution ! Vive la liberté !

Je les confonds tous dans la même admiration, mais celui que j'aime le plus, même davantage que les parents de Micha, et Monsieur et Madame Péréverzev que j'aime pourtant beaucoup, chez qui je vais souvent, c'est Monsieur Ivanov.

On pourrait dire de son beau visage aux traits délicats, comme d'ailleurs de toute sa personne, qu'ils sont « pétris de bonté »... elle irradie des plis autour de ses lèvres, de ses yeux clairs délavés, et même des petites poches qu'il a sous les yeux...

Monsieur Ivanov bégaie légèrement et cela lui donne quelque chose de plus doux encore, de désarmé, d'innocent... J'ai entendu raconter que c'est depuis qu'on est venu le réveiller dans sa cellule de condamné à mort et qu'on lui a annoncé que sa condamnation à la pendaison était commuée en détention à perpétuité qu'a commencé chez lui ce bégaiement. Bien sûr, il n'avait pas signé de recours en grâce. Jamais, malgré les supplications de ses parents et même les objurgations des juges, il n'a consenti à commettre une telle action. Comme d'ailleurs ne l'aurait jamais commise aucun de ceux qui sont à cette table. Quand on dit tout bas de quelqu'un qu'il a demandé au tzar de le gracier, c'est comme si on révélait qu'il porte secrètement une marque infamante.

Monsieur Ivanov est resté depuis l'âge de vingt ans jusqu'à quarante-cinq ans enfermé dans la forteresse de Schlüsselbourg, longtemps dans le plus complet isolement, avec pour seule lecture la Bible... J'entends souvent ces noms : forteresse de « Schlüsselbourg », de « Pierre et Paul », « Okhrana », « Cent Noirs »... et il est aussi beaucoup question de personnages suspects qui circulent dans « la Colonie », ils se font passer pour des révolutionnaires, mais ils sont peut-être des agents secrets de la police, des espions... Micha en voit partout et mon père dit en riant que Monsieur et Madame Agafonoff lui ont communiqué leur maladie, « l'espionnite »...

— Quand quelques années plus tard a éclaté la révolution et se sont ouverts les dossiers de l'Okhrana, on a pu constater que parfois ces soupçons étaient fondés.

— Mon père qui se moque de cette maladie, ne peut s'empêcher, quand quelqu'un lui déplaît, de s'emparer de lui et d'en faire un personnage si inquiétant, si compliqué et si comique que tous l'écoutent comme fascinés, enchantés de son humour, de ses trouvailles, de ses saillies... ses yeux sombres pétillent, ses dents blanches luisent, sa verve, son esprit sont une lame étincelante qui tranche... parfois dans le vif... parfois il me semble que c'est en moi aussi qu'elle atteint... c'est pourtant dans quelqu'un d'autre, que je connais à peine ou pas du tout qu'elle s'enfonce... mais je sens en moi son glissement froid... j'ai un peu mal, un peu peur... les autres sentent-ils cela comme moi? Et Monsieur Ivanov? lui dont mon père dit qu'il a un jugement si droit, si lucide? Trouve-t-il que mon père va trop loin?... Jusqu'ici il souriait de son sourire paisible et doux... mais là tout à coup on dirait que son sourire se fige un peu, dans ses yeux passe comme un mouvement, il me semble que quelque chose en lui se contracte, se rétracte... mais à peine... Quelqu'un arrête mon père gentiment... «Là, je crois, cher Ilya Evseitch, que vous exagérez un peu... il n'est pas très sympathique, mais je le connais bien, ce n'est pas un si mauvais bougre...» Monsieur Ivanov, lui, hoche juste la tête d'un air indulgent, il doit considérer ces élans irrépressibles de mon père comme une grande personne regarde les ébats d'un enfant parfois un peu trop turbulent qui s'amuse, qui s'échauffe... mais il sait bien qu'il a un bon fond, qu'il n'est pas méchant... il sait que même si celui dont mon père vient de faire un si impitoyable portrait venait lui demander de l'aide, il oublierait d'un coup comment il le voyait, il ne verrait devant lui qu'un pauvre homme dans le besoin, il ne lui refuserait pas, il ne peut pas refuser...

— Véra essayait parfois de l'arrêter... «Tu donnes à n'importe qui, ils en profitent... Je t'assure que celui-là a plus de ressources que toi...» et il lui répondait, en haussant légèrement une épaule... «Eh bien alors, tant mieux pour lui.»

— Véra est assise en face de mon père de l'autre côté de la table, à la place que doit occuper la maîtresse de maison, derrière le grand samovar de cuivre. Elle verse le thé dans les tasses et les verres, les distribue, les reprend quand ils sont vides, rince leur fond au-dessus d'un petit bol placé sous le robinet, les remplit de nouveau, les tend, surveille sans cesse les assiettes de chacun, il faut surtout que personne ne manque de rien... jamais elle ne parle, à peine quelques mots, plutôt quelques monosyllabes, quelques rires brefs, par politesse... Est-ce qu'elle écoute seulement ce qui se dit? Ses yeux fixes transparents qui font penser parfois aux yeux des chats, parfois aux yeux des fauves, s'arrêtent par moments sur tel ou tel visage... et après le départ des invités, elle dit, surtout de quelqu'un qui n'est pas un habitué, d'un nouveau venu, de son ton brusque, sans réplique : «Untel (ou Unetelle) a très bonne opinion de soi.» On sent que c'est là une constatation définitive, une condamnation sans appel... et cela provoque chez moi toujours le même étonnement, les mêmes questions : À quoi a-t-elle bien pu reconnaître ça? Pourquoi, parmi tant d'autres jugements qu'on peut porter sur les gens, ce jugement-là est-il le seul qu'elle porte? Et pourquoi y attache-t-elle tant d'importance? Il me semble que tous tant qu'ils sont, elle les sépare en deux catégories : ceux qui ont bonne opinion de soi, et les autres.

— Pendant longtemps tu n'as pas cherché à découvrir ce que pouvait contenir ce jugement...

— Il me surprenait... Il me faisait éprouver de la sympathie, un peu d'envie à l'égard de ceux «qui avaient bonne opinion de soi»...

— N'étaient-ce pas ceux qui avaient été les plus animés, les plus intéressants ?

— C'est probable... Ce bref «Il (ou elle) a bonne opinion de soi», accompagné de ce petit bruit sec, km, km, que Véra émettait après le départ des invités donnait l'impression qu'elle soufflait sur la flamme d'une bougie, d'une lampe...

Toutes les chaises sont vides, les lumières sont éteintes, on peut se retirer, se reposer enfin...

C'est la première fois que j'y pense, jamais dans ce temps-là cela ne me venait à l'esprit, tant cela me paraissait naturel, allant de soi, mais ce qui me frappe maintenant, c'est qu'aussi bien au point de vue moral qu'au point de vue intellectuel, personne ne faisait entre les hommes et les femmes la moindre différence. J'avais le sentiment...

— Pas même le sentiment, tu n'en étais même pas consciente...

— C'est vrai, c'était plutôt l'absence de tout sentiment d'une inégalité quelconque.

— Pour ce qui est notamment de la dureté envers soi-même, de la bravoure, Véra, qui n'avait pris part à aucune action révolutionnaire, en avait montré beaucoup quand elle était infirmière volontaire pendant la guerre entre la Russie et le Japon. Lorsque mon père y faisait allusion, elle l'arrêtait, agacée... « Oh je t'en prie, qu'est-ce que tu dis ? Je n'ai rien fait d'autre que ce qu'il fallait. »

En passant dans le couloir devant la porte de la chambre à coucher où Véra est allée se mettre au lit de bonne heure, comme elle aime le faire, pour « lire tranquillement un bon roman », tandis que mon père reste encore quelque temps dans son cabinet de travail, à compulser des revues de chimie, à prendre des notes, je perçois un bruit étrange... ça ne ressemble à rien de ce que j'ai jamais entendu... c'est comme des plaintes, comme des geignements... ou peut-être des sanglots retenus... mais il y a là quelque chose de si démuni, d'innocent... c'est comme une détresse, un désespoir d'enfant qui s'échappe de lui, il ne peut pas le retenir, ça s'arrache du fond de son âme... l'entendre seulement fait mal... J'ouvre la porte, la lumière est allumée, Véra est couchée dans son lit, tournée vers le mur, enfoncée jusqu'aux oreilles dans ses draps, on ne voit dépasser que ses cheveux châtains aplatis pour la nuit et réunis dans sa nuque en une natte qui lui donne l'air d'une petite fille...

Je m'approche, je me penche par-dessus le lit, je lui dis tout doucement : « Qu'est-ce que tu as ? Tu ne te sens pas bien ? je vois son visage violacé, détrempé, gonflé, un visage de gros bébé... Est-ce que je peux t'aider ? Veux-tu que je t'apporte à boire ? » Elle fait non de la tête, elle arrive à articuler : « Ce n'est rien, ça va passer »... Je soulève un coin

du drap, j'essuie son visage, je caresse sa tête soyeuse et
douce, toute tiède... et peu à peu elle s'apaise... Toujours
sans se retourner, elle sort une main, elle la pose sur la
mienne, elle serre mes doigts... je lui demande si elle veut
que j'éteigne la lumière... «Non, non, ce n'est pas la peine,
ne t'inquiète pas, ce n'était rien, je vais bien, je vais encore
lire un peu... » Et je pars en refermant doucement la porte...

— Jamais un mot n'a plus été prononcé entre vous qui
puisse rappeler cela.

— Et jamais je n'en ai dit mot à personne.

Après, je n'ai pas pu dormir, j'essayais de comprendre...
mon père et Véra n'avaient pas paru être en froid, comme
cela arrivait parfois, quand ils avaient des visages figés, se
parlaient à peine à table... Ce soir-là, ils avaient eu l'air de
bien s'entendre... alors pourquoi? d'où cela était-il venu?

Et pour la première fois, j'ai vu quelqu'un d'aussi familier,
bien visible, connu que l'était pour moi Véra, devenir sous
mes yeux quelqu'un de tout autre... des images, des bribes
de récits qui étaient passés comme à distance d'elle, très
loin, comme quelque part au large, revenaient, se plaquaient
sur elle, la recouvraient... Elle est très gaie, affectueuse,
même tendre... sa famille, ses amis l'aiment comme elle
mérite d'être aimée... elle est toujours la première à vouloir s'amuser, à proposer d'aller en bande dans la forêt
cueillir des fraises des bois, des champignons, elle sait bien
les trouver, les reconnaître... elle adore danser, personne
ne valse mieux, ne danse mieux la mazurka qu'elle... parfois
on l'applaudit, elle reçoit un prix... ses carnets de bal, j'en
ai vu dans ses tiroirs, attachés par une faveur bleue ou rose,
sont toujours remplis, toutes les danses ont été retenues

d'avance... elle s'évente en renversant en arrière son visage encore tout échauffé, tout rose, comme autrefois lorsqu'elle m'a fait tourner rue Boissonade, elle hoche la tête en souriant... Non, elle ne peut pas, elle doit refuser la prochaine valse à un de ces superbes officiers revêtus de l'uniforme blanc que j'ai admirés en feuilletant son album de famille... il y avait aussi la photographie de sa mère qui a un visage très bon, Véra l'aime tant qu'elle laisse rarement passer un jour sans lui écrire, et celle de son frère, de sa belle-sœur qui s'appelle Varia... Véra n'a pas de meilleure amie qu'elle... Et elle a quitté tout cela, elle est à l'autre bout du monde... Mais pourtant jamais je ne l'ai entendue regretter, se plaindre, même à son retour, quand elle était allée passer quelques jours à Moscou, près des siens... C'est qu'elle est si résolue, si dure pour elle-même... cette grande cicatrice qu'elle a sur son avant-bras à l'endroit où à quatorze ans elle a été piquée par une vipère et où elle a aussitôt enfoncé ses dents, s'arrachant à elle-même un morceau de chair pour empêcher que le venin ne se propage... Il a fallu que ce soir elle soit amollie un peu, affaiblie, et c'est venu l'envahir, ce qu'elle a laissé là-bas, ça l'a emplie, ça s'est déversé d'elle en geignements, en larmes...

Et mon père lui aussi se transforme, je le vois plus âgé, plus sombre, plus austère... elle ne l'appelle jamais par son prénom... est-ce parce qu'elle le respecte trop? ou le redoute un peu? j'ai parfois cette impression... mais pourquoi, je me le demande... et tous ces gens qui sont ici, des gens comme elle n'en a jamais vu, si différents de ceux qu'elle a connus... C'est eux qui la rendent toute raide et muette, quand elle est assise derrière le samovar, leur versant le thé, surveillant leurs assiettes... Ce qu'ils disent? Elle ne l'écoute pas, ce n'est pas à elle qu'ils s'adressent... d'elle ils doivent penser... Bien sûr, c'est ça... elle doit s'imaginer... tandis qu'ils continuent à parler entre eux, lui sourient, tendent leurs verres et leurs tasses vers elle, inclinent la tête en les recevant, la remercient très poliment, elle pense qu'ils la trouvent...

— Mais là, je crois que tu te trompais, elle ne songeait pas à elle-même, à l'impression qu'elle leur faisait... C'était eux seuls qu'elle devait voir, eux si audacieux, n'hésitant jamais à donner leur avis, à discuter, sûrs d'être bien instruits et compétents, si lucides, si intelligents, si justes, toujours du bon côté...

— Oui, maintenant je l'aperçois, c'était ce qui devait surgir dans son esprit, quand après leur départ elle disait, comme si elle constatait chez eux une particularité, un trait qui les rendait risibles... «Ils ont bonne opinion de soi.»

«Vous raconterez votre premier chagrin. "Mon premier chagrin" sera le titre de votre prochain devoir de français. »

— N'est-ce pas plutôt rédaction qu'on disait à l'école communale ?

— Peut-être... en tout cas, cette rédaction-là ou ce devoir de français ressort parmi les autres. Dès que la maîtresse nous a dit d'inscrire sur nos carnets « Mon premier chagrin », il n'est pas possible que je n'aie pas pressenti... je me trompais rarement... que c'était un « sujet en or »... j'ai dû voir étinceler dans une brume lointaine des pépites... les promesses de trésors...

J'imagine qu'aussitôt que je l'ai pu, je me suis mise à leur recherche. Je n'avais pas besoin de me presser, j'avais du temps devant moi, mais j'avais hâte de trouver... c'est de cela que tout allait dépendre... Quel chagrin ?...

— Tu n'as pas commencé par essayer, en scrutant parmi tes chagrins...

— De retrouver un de mes chagrins ? Mais non, voyons, à quoi penses-tu ? Un vrai chagrin à moi ? vécu par moi pour de bon... et d'ailleurs, qu'est-ce que je pouvais appeler de ce nom ? Et quel avait été le premier ? Je n'avais aucune envie de me le demander... ce qu'il me fallait, c'était un chagrin qui serait hors de ma propre vie, que je pourrais considérer en m'en tenant à bonne distance... cela me donnerait une sensation que je ne pouvais pas nommer, mais je la ressens maintenant telle que je l'éprouvais... un sentiment...

— De dignité, peut-être... c'est ainsi qu'aujourd'hui on pourrait l'appeler... et aussi de domination, de puissance...

— Et de liberté... Je me tiens dans l'ombre, hors d'atteinte, je ne livre rien de ce qui n'est qu'à moi... mais je prépare pour les autres ce que je considère comme étant bon pour eux, je choisis ce qu'ils aiment, ce qu'ils peuvent attendre, un de ces chagrins qui leur conviennent...

— Et c'est alors que tu as eu cette chance d'apercevoir... d'où t'est-il venu ?

— Je n'en sais rien, mais il m'a apporté dès son apparition une certitude, une satisfaction... je ne pouvais pas espérer trouver un chagrin plus joli et mieux fait... plus présentable, plus séduisant... un modèle de vrai premier chagrin de vrai enfant... la mort de mon petit chien... quoi de plus imbibé de pureté enfantine, d'innocence.

Aussi invraisemblable que cela paraisse, tout cela je le sentais...

— Mais est-ce invraisemblable chez un enfant de onze, presque de douze ans... tu étais dans la classe du certificat d'études.

— Ce sujet a fait venir, comme je m'y attendais, plein d'images, encore succinctes et floues, de brèves esquisses... mais qui promettaient en se développant de devenir de vraies beautés... Le jour de mon anniversaire, oh quelle surprise, je saute et bats des mains, je me jette au cou de papa, de maman, dans le panier une boule blanche, je la serre sur mon cœur, puis nos jeux, où donc? mais dans un beau grand jardin, prairies en fleur, pelouses, c'est celui de mes grands-parents où mes parents et mes frères et sœurs passent les vacances... et puis viendra l'horreur... la boule blanche se dirige vers l'étang...

— Cet étang que tu avais vu sur un tableau, bordé de joncs, couvert de nénuphars...

— Il faut reconnaître qu'il est tentant, mais voici quelque chose d'encore plus prometteur... la voie ferrée... nous sommes allés nous promener de ce côté, le petit chien monte sur le remblai, je cours derrière lui, je l'appelle, et voici qu'à toute vitesse le train arrive, l'énorme, effrayante locomotive... ici pourront se déployer des splendeurs...

Maintenant c'est le moment... je le retarde toujours... j'ai peur de ne pas partir du bon pied, de ne pas bien prendre mon élan... je commence par écrire le titre... « Mon premier chagrin »... il pourra me donner l'impulsion...

Les mots parmi lesquels je me suis posée ne sont pas mes mots de tous les jours, des mots grisâtres, à peine visibles, assez débraillés... ces mots-ci sont comme revêtus de beaux vêtements, d'habits de fête... la plupart sont venus de lieux bien fréquentés, où il faut avoir de la tenue, de l'éclat... ils sont sortis de mes recueils de morceaux choisis, des dictées, et aussi...

— Était-ce des livres de René Boylesve, d'André Theuriet ou déjà de Pierre Loti ?

— En tout cas ce sont des mots dont l'origine garantit l'élégance, la grâce, la beauté... je me plais en leur compagnie, j'ai pour eux tous les égards qu'ils méritent, je veille à ce que rien ne les dépare... S'il me semble que quelque chose abîme leur aspect, je consulte aussitôt mon Larousse, il ne faut pas qu'une vilaine faute d'orthographe, un hideux bouton les enlaidisse. Et pour les relier entre eux il existe des règles strictes auxquelles on doit se conformer... si je n'arrive pas à les retrouver dans ma grammaire, si le moindre doute subsiste, il vaut mieux ne pas y toucher, à ces mots, en chercher d'autres que je pourrai placer dans une autre phrase où ils seront à une place appropriée, dans le rôle qui leur convient. Même mes mots à moi, ceux dont je me sers d'ordinaire sans bien les voir, lorsqu'ils doivent venir ici acquièrent au contact des autres un air respectable, de bonnes manières. Parfois je glisse ici ou là un mot rare, un ornement qui rehaussera l'éclat de l'ensemble.

Souvent les mots me guident dans mes choix... ainsi dans ce premier chagrin, le « bruissement sec » des feuilles d'automne que nous froissions en courant, en nous roulant dessus, mon petit chien et moi, m'ont fait, après avoir hésité, préférer pour nos jeux dans le jardin de mes grands-parents l'automne au printemps...

— Pourtant « les pousses tendres et les bourgeons duveteux » étaient bien séduisants...

— L'automne l'a emporté et je ne l'ai pas regretté... n'y ai-je pas trouvé « la douceur des rayons d'un soleil pâle, les feuilles d'or et de pourpre des arbres... ».

Derrière la porte fermée de ma chambre, je suis occupée à ce qu'il peut y avoir au monde de plus normal, de plus légitime, de plus louable, je fais mes devoirs, en ce moment il se trouve que c'est un devoir de français. Je n'en ai pas choisi le sujet, il m'a été donné, même imposé, c'est un sujet fait pour moi, à la mesure d'un enfant de mon âge... il m'est permis de m'ébattre à l'intérieur de ses limites, sur un terrain bien préparé et aménagé, comme dans la cour de récréation ou bien aussi, puisque ces ébats s'accompagnent de grands efforts, comme dans la salle de gymnastique.

Maintenant arrive le moment de concentrer toutes mes forces pour le grand bond... l'arrivée du train, son vacarme, sa vapeur brûlante, ses énormes yeux qui brillent. Et puis, quand le train est passé, entre les rails la touffe de poils blancs, la flaque de sang...

Mais cela, je me retiens d'y toucher, je veux laisser les mots prendre tout leur temps, choisir leur moment, je sais que je peux compter sur eux... les derniers mots viennent toujours comme poussés par tous ceux qui les précèdent...

Dans l'obscurité de la salle du cinéma de la rue d'Alésia, tandis que je regarde passer je ne sais plus quel film muet, accompagné d'une agréable, excitante musique, je les appelle, je les rappelle plutôt, ils sont déjà venus avant, mais je veux les revoir encore... le moment est propice... je les fais résonner... faut-il changer celui-ci de place ?... j'écoute de nouveau... vraiment la phrase qu'ils forment se déroule et retombe très joliment... encore peut-être un léger arrangement... et puis ne plus l'examiner, je risquerais de l'abîmer... il faut seulement s'efforcer de la conserver telle qu'elle est, ne pas en perdre un mot jusqu'au moment où je l'écrirai sur ma copie déjà mise au net, en allant à la ligne pour bien la faire ressortir dans toute sa beauté, en la faisant suivre du point final.

Il ne me restera plus qu'à tracer à bonne distance de la dernière ligne un trait bien droit et net avec ma plume très propre et ma règle.

— Jamais au cours de toute ta vie aucun des textes que tu as écrits ne t'a donné un pareil sentiment de satisfaction, de bien-être...

Peut-être, plus tard, encore un autre devoir, celui sur les jouets...

— Un sujet de devoir de français en troisième au lycée. Cette impression d'accomplissement, là aussi, quand me venaient des mots délicieux, porteurs « d'effluves du passé, d'une odeur de moisissure qui m'était montée au visage lorsque seule dans le grenier de la vieille maison j'avais soulevé le lourd couvercle du coffre où gisaient pêle-mêle des jouets abandonnés, délabrés... un flot de souvenirs charmants... » j'écoutais enchantée chantonner sourdement dans mes phrases « une mélancolie retenue, une émouvante nostalgie... ».

— Maintenant c'était de Balzac surtout que les mots te venaient... Reconnais qu'entre la qualité de ses textes, de ceux de Boylesve ou de Theuriet et les tiens tu ne voyais guère de différence...

— Et cette ressemblance m'apportait une certitude, une sécurité... Mais je dois avouer que mes textes étaient pour moi plus délectables.

En relisant une dernière fois « Mon premier chagrin »... j'en connaissais par cœur des passages... je l'ai trouvé parfait, tout lisse et net et rond...

— Tu avais besoin de cette netteté, de cette rondeur lisse, il te fallait que rien ne dépasse...

— J'aimais ce qui était fixe, cernable, immuable... C'est cela qui m'a plus tard charmée dans la géométrie plane, dans la chimie inorganique, dans les premiers éléments de physique... le théorème d'Archimède, la machine d'Atwood... aucun risque de voir quoi que ce soit se mettre à fluctuer, devenir instable, incertain... j'ai perdu pied dès que j'ai dû quitter ces régions où je me sentais en parfaite sécurité et aborder celles mouvantes, inquiétantes de la géométrie dans l'espace, de la chimie organique... « Mon premier chagrin » est arrondi et fixe à souhait, pas la moindre aspérité, aucun mouvement brusque, déroutant... rien qu'un balancement léger et régulier, un doux chantonnement...

Vraiment ce devoir mérite que je le montre à mon père. Il aime regarder mes devoirs. Surtout mes devoirs de français.

Il faut que nous soyons seuls, il est tacitement entendu que Véra ne doit pas être présente. Comme il est convenu entre nous, sans qu'un mot ait été dit, qu'elle ne doit jamais être là quand je fais signer à mon père mon carnet de notes.

Bien sûr, la croix que la maîtresse épingle sur mon tablier et que je porte toute la semaine, il est impossible d'éviter qu'elle la voie et que ne se soulèvent en elle comme des vaguelettes de mécontentement, d'hostilité.

Quand j'entre dans le cabinet de travail de mon père avec ma copie à la main, il abandonne aussitôt ce qu'il est en train de faire et se met à m'écouter... et moi, en lui lisant, je retrouve les joies de la récitation, encore accrues... y a-t-il un texte dont mes intonations fassent mieux jouer toutes les nuances ?

Mon père est toujours réservé, il ne se répand pas en compliments, mais je n'en ai pas besoin, je sais à son air, à la façon dont il m'écoute qu'il me dira que c'est très bien. Sans plus. Mais cela me suffit. Pas une seconde entre nous il ne s'agit d'une appréciation d'un autre ordre que celle qu'il ferait sur n'importe lequel de mes devoirs. Jamais n'est même de loin suggérée, jamais ne vient nous frôler l'idée de « dons d'écrivain »... rien n'est aussi éloigné...

— En es-tu sûre ?

— Absolument. Je n'ai fait qu'un très bon devoir. Je ne me suis rien permis, je n'en ai d'ailleurs aucune envie, je ne cherche jamais à dépasser les limites qui me sont assignées, pour aller vagabonder Dieu sait où, là où je n'ai rien à faire, chercher je ne sais quoi... ou plutôt ce que mon père déteste par-dessus tout, ce qu'il n'évoque qu'en plissant d'un air méprisant ses lèvres, ses paupières, et qu'il appelle «la gloriole»... certes non, je ne la cherche pas. L'idée ne me vient jamais de devenir un écrivain. Parfois il m'arrive de me demander si je ne pourrais pas être une actrice... mais pour ça il faut être belle comme Véra Koren ou comme Robine. Non, ce que j'aimerais, c'est d'être institutrice.

Le jour où la maîtresse nous rend nos devoirs, j'attends avec le pressentiment, mais c'est plutôt une certitude, que la liste commencera par mon nom. La note inscrite sur la copie a moins d'importance... elle sera probablement un 8 ou un 9... Mais il faut absolument pour que soit confirmée ma réussite que le devoir soit en tête de la liste !...

— Il ne t'est jamais venu à l'esprit qu'il serait le premier de trente devoirs assez médiocres et que par conséquent cette sélection...

— Non, jamais. Le numéro un marque pour moi un absolu. Quelque chose à quoi rien n'est supérieur. Peu importe où. J'ai l'illusion que c'est hors comparaison. Il n'est pas possible que ce que j'ai fait vienne après ce qu'a fait quelqu'un d'autre.

— Ta rage contre toi-même... c'était au lycée Fénelon... quand pour la première fois Monsieur Georgin, en rendant les versions latines, t'a dit : «Mais que s'est-il passé ? Vous êtes...» était-ce troisième ou seconde ?...

— Sur le chemin du retour, j'ai sorti de mon cartable l'ignominieuse copie, je l'ai piétinée, je l'ai déchirée, et j'ai jeté ses morceaux dans le bassin de la place Médicis.

Tous les enfants autour de moi disent « maman », Lili sait le dire aussi maintenant, Véra en parlant de moi dit toujours ma fille... et les gens s'étonnent parfois... Vous avez déjà une fille de cet âge ? et il est vrai qu'elle n'a que quinze ans de plus que moi... Et puis, malgré son air si jeune, cela me gêne de l'appeler Véra, comme fait mon père, comme si j'étais une grande personne, je lui propose donc un jour... je ne me souviens pas du tout comment... de lui dire maman. Elle me répond « Très bien, mais il faut que tu en demandes la permission à ta mère »...

Je me souviens par contre très bien de ce repas, entre mon père et Véra, de mes larmes qui tombent dans mon potage et de ce silence autour de moi... mon père ne pose pas une question, il doit savoir... dès qu'il est rentré, Véra a dû le mettre au courant, elle a dû lui dire : « Boretzkaïa... je sais que c'est ainsi, du nom de famille de Kolia, qu'ils appellent entre eux ma mère... Boretzkaïa a répondu... elle ne veut pas... »

J'essaie de retenir mes larmes, elles coulent de plus en plus fort, je les essuie avec mon mouchoir, je me mouche...

mon père a son air agacé, fâché, ses paupières plissées... il me tapote brièvement l'épaule... «Ne t'en fais pas... ce mot qu'il employait toujours quand il me voyait "dans tous mes états"... Ne t'en fais pas, ça n'en vaut pas la peine, je t'assure.» Mais il ne sait pas ce qu'il y avait dans cette lettre... le chagrin, l'indignation de maman... Il faut manquer de cœur, être insensible, ingrat, oublier les liens les plus sacrés, ce qu'on doit avoir de plus cher au monde, sa mère, un nom qu'aucune autre femme ne peut porter, pas question de dire même... c'était l'alternative que je lui avais proposée... «maman-Véra». Ce nom, maman, ne peut s'accoler à aucun autre. Je n'avais sur terre qu'une seule mère... et elle n'était pas encore morte...

Mes larmes, celles d'autrefois, taries depuis près de deux ans... mais comme à cet âge-là les années étaient longues... ces larmes reviennent plus âcres encore, plus rongeantes.

Dans les grandes feuilles de papier bleu qui servent à recouvrir mes cahiers et mes livres, je découpe des petits carrés que je plie et replie comme on me l'a appris pour en faire des cocottes en papier. Sur la tête de chacune j'inscris d'un côté le nom et de l'autre le prénom d'une élève de ma classe : trente en tout et je suis l'une d'entre elles. Je les dispose sur ma table, côte à côte, en plusieurs rangs et moi, leur maîtresse... pas la vraie qui nous enseigne cette année... une maîtresse que j'invente... je m'installe sur ma chaise en face d'elles.

Ainsi je peux apprendre sans souffrance, et même en m'amusant les leçons les plus assommantes. J'ai devant moi mon livre d'histoire ou de géographie et je pose à mes élèves et à moi-même des questions... aux cancres, quand je ne connais pas encore bien la leçon... ils bafouillent, disent toutes sortes de choses stupides et drôles que j'invente en les imitant... j'aime beaucoup imiter les gens et souvent mes imitations font rire...

Enrobé de cette façon, de facéties, de pitreries, de tordantes inepties, parvient à s'introduire en moi et à y demeurer ce qui à l'état nu serait repoussé... traités de paix, noms des batailles, des villes, des départements, des pays, leur superficie, le nombre de leurs habitants, leurs produits... je

saupoudre tout cela avec ce qui est à mon goût... du genre...
« Dis-moi, oui, toi, Madeleine Tamboitte... mais ne prends
pas, je t'en prie, cet air ahuri... *Qui* a gagné la bataille de Poitiers ? Qui ? Ne lui soufflez pas... je tapote impatiemment ma
table avec mon crayon... Qui, as-tu dit ? Charles et Marcel...
Bravo ! Non, ne riez pas. C'est Charles Martel, ignorante...
Char-les Mar-tel. Et toi, Suzanne Morin, dis-moi, *qui* a-t-il
repoussé ? Quoi ! les Allemands ! Mais qu'est-ce que tu
racontes, mais tu as de la bouillie dans la tête... les Allemands, c'est ceux qui nous ont pris... dis-le, Germaine Pel-
letier... et elle répond de sa voix de crécelle...
l'Alsace-Lorraine, en 1870... Trrès bien... Et un jour nous
allons la reprendre. Mais à Poitiers... — Madame !... — Bon,
à toi... Oui, c'est ça, à Poitiers nous avons repoussé les
Arabes... en 732. Rappelez-vous bien ça : 732... »

Certains jours arrivent des inspecteurs... des inspecteurs
de toutes sortes... des gros poussifs qui ne prononcent que
quelques mots en soufflant... des méchants livides et maigres
qui sifflent des remarques aigres-douces ou acerbes... et moi
aussi je me transforme, je change comme je veux mon
aspect, mon âge, ma voix, mes façons...

Cet inspecteur est un peu dur d'oreille... « Qu'a donc
répondu cette élève ?... Je transforme aussitôt la mauvaise
réponse... Elle a dit cela ? Il m'a semblé pourtant... — Non
Monsieur l'Inspecteur, toute la classe l'a entendue... N'est-
ce pas ? (d'un air doucereux) mes enfants ?... et toute
la classe en chœur, comme un bêlement... Ooooui Maa-
daame... »

Quel dommage de dire à mes élèves que pour aujour-
d'hui la classe est terminée, de ramasser toutes les cocottes
en papier, de les ranger l'une contre l'autre dans leur boîte.

Je suis couchée dans ma chambre dans une villa de Meudon où nous passons l'été... Tout mon bras droit de l'épaule au poignet est enflé, dur, brûlant, couvert de pustules, j'ai une grosse fièvre... cela provient de la piqûre qu'a faite à Lili et à moi le médecin d'ici, pour nous empêcher d'attraper la diphtérie. Lili n'a rien, mais moi... j'entends dire qu'il a dû me piquer avec une aiguille pas assez propre... je vais de plus en plus mal, des gros perce-oreilles, des bêtes dont j'ai très peur courent sur moi, vont entrer dans mes oreilles, je crie... papa me parle doucement, sa main est posée sur mon front... chaque fois que je reviens à moi, j'étends le bras et je le sens là, tout près... Personne d'autre que lui... Jamais Véra...

— Cela paraît à peine possible... Jamais vraiment?

— Non, jamais, en tout cas au cours de cette maladie.

— Elle devait être fâchée avec ton père...

— Probablement. Elle se vengeait souvent ainsi en cessant complètement de s'occuper de moi. Et quand Véra avait pris une décision... on aurait pu mourir...

— C'est bien le cas de le dire...

— Il fait presque nuit... Mon père tout à coup me soulève, m'enveloppe dans une couverture et me porte, aidé par un homme... c'était le chauffeur d'un taxi qu'il avait fait venir de Paris... Tout le long du chemin, de sa voix d'autrefois il me rassure, il me caresse la tête... « Ce ne sera rien, tu verras... nous allons chez un grand docteur pour les enfants, un professeur, il saura te guérir... » Le taxi s'arrête dans une large rue de Paris, on me monte, on me porte à travers des grands salons jusqu'à une pièce toute blanche... un docteur m'examine... il prend une pince et coupe un à un les boutons sur mon bras.

— On en voit encore aujourd'hui les cicatrices.

— Il me met des pansements, il me fait une piqûre, il est très calme et doux. Mon père et le chauffeur me font redescendre. Dans le taxi, mon père a l'air heureux, il me serre contre lui... Tu vas guérir, le professeur Lesage...

— Un nom qu'il a répété souvent... « Le professeur Lesage... quel médecin... je ne l'oublierai jamais... Sans lui... »

— « Le professeur Lesage l'a promis... Comme on a bien fait d'aller chez lui... tu vas dormir maintenant, bientôt tu seras dans ton lit, et tout passera, tu sera bientôt guérie, Tachotchek, ma petite fille, ma chérie. »

Depuis quelque temps en sortant de classe, à quatre heures, je renonce à lambiner dans la rue, à bavarder, à jouer à la marelle, j'ai envie de rentrer tout de suite, je sais qu'elle a entendu sonner la cloche de l'école et qu'elle m'attend... je ne file plus droit dans ma chambre en passant par le couloir, je vais d'abord dans sa chambre à elle, qui donne sur le vestibule, je cours vers elle, je l'embrasse, je la serre dans mes bras, je l'appelle *babouchka* en russe, et en français je l'appelle « grand-mère », c'est elle qui l'a voulu, bien qu'elle soit la mère de Véra.

Mais il ne peut pas exister de vraie grand-mère qui me convienne, qui me plaise davantage. Elle n'a pourtant pas grand-chose dans son aspect de ce qui rend exquises les grand-mères décrites dans les livres...

— Pas grand-chose de commun avec celle que tu as montrée plus tard dans l'un des tiens...

— Rien que la jupe moelleuse, les tavelures qui parsèment le dos de ses mains et, sur son annulaire, au niveau de l'articulation ce petit creux... Mais ses cheveux sont d'un jaune terne, ses yeux ne sont pas pareils à de l'émail bleu, ils sont d'un vert jaunâtre un peu déteint, elle a un grand visage blafard, d'assez gros traits... il est impossible de la modeler en une mignonne statuette bleue et rose de grand-mère de conte de fées... impossible de la figer... il y a quelque chose en elle de toujours mouvant, de pétillant, quelque chose de vif qui se tend aussitôt vers ce qu'on lui présente...

Je pose mon cartable et je vais me laver les mains dans le cabinet de toilette qui sépare nos chambres et puis nous goûtons, elle fait du thé sur un petit réchaud et elle sort de son armoire un pot de confiture de carottes qu'elle a préparée suivant sa recette et que nous sommes seules, elle et moi, à apprécier... je lui raconte tout ce qui s'est passé à l'école et elle le rend intéressant, amusant, par sa façon de l'écouter... C'est avec elle que j'apprends les leçons les plus rebutantes... avec elle, même celles de géographie ont du charme, je n'ai plus besoin de mes cocottes en papier. Je ne les ai montrées qu'à elle, et une fois je leur ai fait la classe devant elle, je l'ai fait rire...

Nous rions beaucoup toutes les deux, surtout quand elle me lit des comédies... *Le Malade imaginaire*... ou *Le Revizor*... elle lit très bien, elle rit parfois tellement qu'elle est forcée de s'arrêter, et moi je me tords littéralement, couchée à ses pieds sur le tapis.

On ne pourrait pas croire que c'est la première fois de sa vie qu'elle est en France... En l'écoutant parler, on serait sûr qu'elle y a toujours vécu, il n'y a aucune trace d'accent étranger dans sa prononciation, dans ses intonations, elle ne cherche jamais ses mots...

— Elle emploie seulement... c'est rare... certains mots qui ont un air vieillot... comme « serrer » pour « ranger »... « Serre cela dans le tiroir de la commode ».

— Il lui arrive, pendant les repas, d'oublier qu'elle est en France et si elle est en train de parler russe et qu'elle veut dire quelque chose que la bonne qui sert à table ne doit pas comprendre, elle le dit en français, et c'est parfois une remarque désobligeante... alors Véra lui rappelle en russe qu'elle est en France, et elle rougit, se désole en russe cette fois... Mon Dieu ! c'est pourtant vrai, où ai-je la tête ? Quelle horreur...

Mon père l'appelle Alexandra Karlovna... Karl n'est pas un prénom russe, son père s'appelait Charles Feue de la Martinière, c'était un officier français envoyé en mission en Russie par Napoléon (j'ai longtemps cru que c'était Napoléon Ier, et j'ai été bien déçue en apprenant que c'était Napoléon III). Là-bas il a épousé une Russe et peu de temps après ils sont morts tous deux du choléra en laissant une fille, Alexandra...

Nos repas sont transformés par sa présence... entre mon père et elle je sens de l'estime, de l'affection... mon père parle beaucoup avec elle et elle aussi raconte, discute, ils se posent l'un à l'autre des questions et ils m'en posent à moi sur mes études, tout à fait insoucieux, comme inconscients de la présence de Véra, et moi, comme si de rien n'était, je réponds. Mon père fait beaucoup d'éloges de la façon dont dans les écoles primaires, à en juger par la mienne, sont traités et instruits les enfants... c'est un modèle d'éducation, ces écoles de France... Un pays pour lequel il voudrait lui faire partager sa passion.

Après le dîner, souvent je reviens dans sa chambre, elle m'apprend à crocheter un de ces grands fichus ronds à grosses mailles qu'elle se fait pour elle-même et qu'elle porte toujours, repliés en deux sur ses épaules... J'aime avec elle essayer de me rappeler l'allemand que j'ai appris autrefois en bavardant et elle me le fait lire dans l'écriture gothique... Elle me donne des leçons de piano, ce qui m'amuse beaucoup moins, mais elle serait contente si je savais jouer, alors j'accepte sans rechigner de recommencer sans fin, assise près d'elle, ce qu'il peut y avoir au monde de plus ennuyeux, les gammes et les exercices...

Un jour je lui ai demandé comment elle a appris tout ce qu'elle sait et elle m'a raconté qu'après la mort de ses parents, elle était devenue une pupille de la tzarine et a été élevée à l'institut Smolny... J'avais eu un livre à Pétersbourg, dont l'histoire se passait à l'institut Smolny... Ma mère trouvait ce livre insipide, de mauvaise qualité... Qu'est-ce qui t'attire là-dedans ? Mais il me passionnait... Je crois même qu'il a inspiré un des épisodes de mon malencontreux roman où je faisais mourir aux premiers souffles du printemps un jeune phtisique...

Installée par terre, adossée aux genoux de grand-mère, l'écoutant parler de son enfance, je voyais revenir les vastes places enneigées aux reflets bleutés, les façades à colonnes des palais peints de délicates couleurs, les hautes fenêtres doubles, la couche de ouate saupoudrée de paillettes d'argent entre les carreaux ornés de dessins de givre, les stalactites étincelantes, les traîneaux... et dans un de ces palais les larges et longues galeries aux parquets brillants, les petites chambres blanches... le joli uniforme, les règles strictes... un jour de la semaine sur deux on ne parle entre soi que le français... un autre jour l'allemand... il est interdit, même en chuchotant à table ou dans un couloir, de prononcer un seul mot russe. Des Françaises, des Allemandes, des Anglaises surveillent sans cesse, ne laissent rien passer... Et les fêtes... la visite de la tzarine... une apparition toute de beauté et de bonté... les présentations, les révérences... le bal en robes blanches, avec des fleurs dans les cheveux... on ne peut être plus loin des petites rues d'ici, de ces maisons aux façades plates et grises, de nos tabliers noirs, de mon école, de ses classes, de sa cour, de son préau de ciment avec au mur le bon vieux visage du président Fallières...

Qu'est-ce que tu veux encore que je te raconte? Ce n'était pas gai tous les jours, il faisait souvent très froid, les règles étaient sévères, je n'avais pas de parents... — Et après, quand tu es sortie?... — Oh après... j'ai été mariée de bonne heure... avec un officier... Je savais que son mari, Fiodor Cheremetievski, s'était mis à boire... je ne me rappelle plus qui, sûrement pas elle, m'avait dit qu'il était mort d'une maladie effroyable qui vous fait voir des bêtes horribles courir partout... le delirium tremens... Après sa mort, quand je suis restée seule... il était très dépensier, il s'était ruiné... il a fallu que j'élève nos quatre enfants... j'ai dû enseigner, donner des leçons... — C'est pour ça que tu sais si bien?... — Que veux-tu, j'étais bien obligée... ils étaient encore petits... Maintenant Fiodor... grand-mère parle toujours avec fierté de son fils aîné... Fiodor est professeur de faculté... Génia est très instruite... Lydia... elle n'aime pas beaucoup en parler... Véra dit parfois de cette sœur-là qu'elle est un peu fantasque... et Véra elle-même... grand-mère l'appelle « la petite », c'est sa dernière... on sent qu'elle l'aime...

— Il ne semble pas qu'il y ait eu entre elles durant tout ce séjour le moindre dissentiment, jamais un mot désagréable... Quand on y pense, il est étonnant que Véra ait si bien pris tes rapports très affectueux avec sa mère... et aussi un certain éloignement de sa mère, une distance plutôt, à l'égard de Lili... Mais Véra savait que les très petits enfants ne l'intéressaient pas beaucoup et elle devait se rendre compte que le caractère nerveux de Lili, ses caprices continuels et ses cris écartaient d'elle, même son père... Il ne s'en est rapproché davantage que plus tard...

— On sentait que Véra aimait et respectait beaucoup sa mère et que sa mère avait de la tendresse pour elle, mais qu'elle l'inquiétait un peu, elle avait dû être difficile à élever... grand-mère m'a dit d'elle un jour... c'est peut-être la seule fois où elle m'en a parlé... «C'est le portrait de son père... Aucun de mes autres enfants ne lui ressemble autant... Quand il y avait quelque chose qu'elle voulait ou qu'elle ne voulait pas faire, il n'y avait aucun moyen... c'est de lui qu'elle tient ça... et aussi son goût pour la danse, un vrai talent... et son intrépidité... Moi je suis plutôt...» Je la serre dans mes bras, je l'étreins... «Oh toi, toi, toi tu es... Personne ne peut être mieux que toi.»

Et puis aussi brusquement qu'elle était venue, elle est partie. Son fils la suppliait de rentrer, il avait trois filles dont elle s'occupait beaucoup, elle avait promis de revenir au bout de quelques mois, et voilà bientôt un an... il faut qu'elle rentre... elle me l'a dit à plusieurs reprises, mais je ne m'y arrêtais pas, c'était impossible, je ne voulais pas...

Quand avant de partir elle m'a serrée dans ses bras, nous étions seules, j'étais comme obnubilée... Elle m'a écartée d'elle pour me regarder au fond des yeux, elle m'a caressé la joue et elle m'a dit : «Continue à bien travailler, c'est l'essentiel. » Et puis elle a ajouté quelque chose qui m'a étonnée : «Veille bien sur ton papa. »

Je n'ai gardé aucun souvenir de l'état où m'a laissée son départ... je ne pourrais que l'imaginer, ce serait facile. Je me souviens par contre avec une parfaite netteté comme quelque temps, assez longtemps après, mon père a demandé à Véra d'un ton un peu inquiet... ils étaient dans la pièce à côté, ils ne pensaient pas que je pouvais les entendre... «Que se passe-t-il avec Natacha? et elle a répondu : C'est à cause du départ de maman...»

Adèle m'emmenait parfois à l'église de Montrouge où je faisais les mêmes gestes qu'elle... des gestes qui ne me semblaient pas être bien différents de ceux qu'exige la simple politesse... la main plongée rapidement dans le bénitier, l'automatique signe de croix, la brève esquisse de génuflexion en passant devant l'autel... elle aurait été très choquée si je ne l'avais pas fait, comme elle l'aurait été si je n'avais pas dit «Au revoir Madame» en sortant d'une boutique... ou si je ne m'étais pas effacée dans une porte... Il m'était impossible d'imaginer... malgré tous les actes de piété accomplis rigoureusement et très fréquemment par Adèle, elle allait souvent à l'office de six heures du matin, ne manquait jamais la messe un dimanche... je ne pouvais pas lui attribuer la moindre parcelle d'une vie spirituelle, un sentiment quelconque de l'existence possible de quelque chose qui n'était pas sur terre, par terre, au ras de terre où elle vivait.

— Mais toi-même, quand tu priais...

— C'était plutôt de la superstition... je récitais «Notre Père qui êtes aux Cieux» ou «Sainte Marie, mère de

Dieu»... comme je touchais du bois pour détourner le mauvais sort, ou avec le vague espoir qu'ainsi je recevrais ce
que je désirais...

Avec grand-mère à l'église russe de la rue Daru, je me
prosternais front contre terre auprès d'elle, je faisais le
signe de croix, cette fois pas comme avec Adèle, de gauche
à droite avec ma main ouverte, mais de droite à gauche avec
mon pouce appuyé contre deux doigts.

Je ne sais si grand-mère était vraiment croyante, je crois
qu'elle allait à l'église les jours de fête pour prendre part à
des rites qu'elle aimait, pour retrouver sa Russie, s'y replon-
ger, et moi je m'y replongeais avec elle... je retrouvais la
chaleur, la lumière d'innombrables cierges, les icônes dans
leur châsse comme une dentelle d'argent ou d'or éclairées
par les flammes des petites veilleuses de couleur, les
chants... une ferveur répandue sur tout et en moi comme
une exaltation très douce et calme que j'avais déjà ressentie... était-ce à Pétersbourg ou encore avant, à Ivanovo...

— C'est étrange qu'à cet âge-là jamais ne te venait l'idée
que ces religions n'étaient pas celles de tes ancêtres... que
jamais personne ne t'en avait parlé...

— Ma mère ne voulait pas le savoir... je crois qu'elle n'y
pensait jamais. Quant à mon père, il considérait toutes les
pratiques religieuses comme des survivances... des vieilles
croyances dépassées... il était «libre penseur» et pour lui
comme pour tous ses amis le fait même de mentionner que
quelqu'un est juif ou ne l'est pas, ou qu'il est slave, était le
signe de la plus noire réaction, une véritable indécence...

Je n'ai jamais entendu dire d'un ami qui venait à la maison qu'il était autre chose que russe ou bien français. Et à

l'école même cette notion de Russe ne semblait pas exister, tous les enfants d'où qu'ils fussent venus étaient consi-
dérés comme de bons petits Français. Je ne me souviens
pas qu'on m'ait posé aucune question, visiblement les idées
de différence de race ou de religion n'entraient dans l'esprit de personne.

Mon père me laissait aller dans toutes les églises où l'on
m'emmenait... peut-être se disait-il que ces belles cérémo-
nies ne pouvaient que laisser à un enfant de beaux souvenirs, et il ne cherchait pas plus à me détourner de Dieu, du
Christ, des saints, de la Sainte Vierge, qu'il ne m'avait empê-
chée d'adresser des prières au Père Noël.

Mais plus tard, chaque fois qu'était soulevée cette question, j'ai toujours vu mon père déclarer aussitôt, crier sur
les toits qu'il était juif. Il pensait que c'était vil, que c'était
stupide d'en être honteux et il disait : Combien d'horreurs,
d'ignominies, combien de mensonges et de bassesses a-t-il
fallu pour arriver à ce résultat, que des gens ont honte
devant eux-mêmes de leurs ancêtres et se sentent valori-
sés à leurs propres yeux, s'ils arrivent à s'en attribuer
d'autres, n'importe lesquels, pourvu que ce ne soient pas
ceux-là... Tu ne trouves pas, me disait-il parfois, beaucoup
plus tard, que tout de même, quand on y pense... — Oui,
je le trouvais...

Madame Bernard ne m'a jamais posé de question sur ma vie de famille, elle me disait comme aux autres « Dis à ta maman de passer me voir... » peut-être s'était-elle aperçue que c'était toujours papa qui venait... en tout cas, je ne sais pourquoi elle m'a demandé un jour si j'aimerais venir le lendemain goûter chez elle avec ses enfants... et après rester un peu, faire mes devoirs chez elle.

— C'était peut-être à cause de l'incident... tu te rappelles... les poux...

— Ah oui, les poux... la classe est encore vide, je suis seule à mon rang et derrière moi sont assises les deux plus mauvaises élèves de la classe, des commères inséparables, toujours en train de chuchoter entre elles, d'échanger des coups d'œil, de ricaner... Je les évitais, mais elles jouaient un rôle important dans ma classe de cocottes en papier... elles m'étaient d'un grand secours quand je commençais à m'ennuyer, elles me procuraient l'occasion de m'amuser en leur faisant dire des choses abracadabrantes, donner des réponses drôles, insolentes...

Maintenant elles sont là en chair et en os, installées derrière moi, pas drôles du tout, un peu répugnantes, grossières, chuchotantes, ricanantes, malveillantes... elles étouffent des petits cris, des petits rires, et quand je me retourne elles font des têtes de bois... Aussitôt la classe terminée elles descendent à toute allure les gradins, elles courent vers Madame Bernard et lui chuchotent quelque chose d'un air excité... et voilà que Madame Bernard me cherche des yeux, elle me fait signe de m'approcher, et elle m'emmène dans un petit bureau à côté de la classe. Là elle me dit : Laisse-moi regarder ta tête... elle se penche vers mes cheveux de tout près, et d'un ton gêné, scandalisé, grave, compatissant, elle prononce ces mots inattendus : Tu as des poux... Il faut qu'on t'en débarrasse au plus vite... Pour ça tu devras rester quelques jours chez toi... Une élève viendra t'apporter tout ce qu'il faut pour te tenir au courant et tu lui remettras tes devoirs, comme ça tu ne manqueras rien... et dis à ta maman qu'elle vienne me voir. Et elle pose sur moi un regard préoccupé, pénétrant et affectueux qui me révèle, une fois de plus, la finesse, la grande et pudique bonté que je sens toujours en elle...

Je rentre aussi vite que je peux et j'annonce à Adèle et à Véra cette étonnante nouvelle : J'ai des poux ! Oui, dans les cheveux... Adèle se précipite, regarde, défait mes nattes, constate... — Mais comment se fait-il que tu n'aies rien senti ? Ça ne te démange donc pas ? — Mais non... — Jésus Marie Joseph, Sainte Vierge ayez pitié de nous, il y a même des lentes... C'est la première fois que j'entends ce mot... Oui, il y a des lentes, les œufs que pondent les poux... Véra grogne, se fâche contre Adèle, Adèle proteste, m'accuse... Voilà ce que c'est de vouloir tout faire elle-même... Mademoiselle se natte, fait sa toilette toute seule, il ne faut pas y toucher... Tout en «répondant à Madame» qui est furieuse, elle se prépare pour aller à la pharmacie, et elle en rapporte un onguent dont elle m'enduit la tête en écartant les cheveux raie par raie, elle les imbibe entièrement, les relève et les enserre étroitement dans une serviette.

Rien n'a percé de l'explication qu'il y a probablement eue après entre mon père et Véra.

Moi je comprenais mal l'excitation et les ricanements des deux élèves, l'air grave, préoccupé, gêné, de Madame Bernard, sa tendre et délicate compassion... et l'émotion, les protestations d'Adèle, les accusations furieuses de Véra... j'avais l'impression d'être toujours plutôt propre, et ces poux dans ma tête ne me paraissaient pas bien différents des microbes qu'on attrape, on n'y peut rien, par contagion, comme j'avais attrapé la rougeole...

Je ne sais pas combien de fois je suis allée chez Madame Bernard, si j'y suis allée souvent... tout se fond dans quelques images... les reflets de la toile cirée d'un vert jaunâtre qui recouvre la grande table carrée de la salle à manger éclairée par une suspension en opaline blanche... le visage de Madame Bernard est une tache rose sous l'épaisse couche argentée de ses cheveux... son corps arrondi, plutôt court, ses gestes vifs et précis quand elle nous distribue, à ses enfants et à moi, des barres de chocolat, des tartines beurrées... les cahiers ouverts devant nous, nos mains... mais je ne nous vois pas, je ne vois que des bras, des mains qui se tendent et trempent les plumes dans le lourd encrier de verre placé au milieu de la table... Elle, assise un peu à l'écart dans un fauteuil, tricote en silence... et de sa pose, des mouvements de ses doigts, du cliquetis léger de ses aiguilles, de son regard qui parfois, lorsque je lève la tête, se pose sur moi avec toujours cette attention discrète et... tendre?... non, tout de même pas, et j'aime mieux qu'il en soit ainsi, c'est plus paisible, plus rassurant que ne soient pas franchies les frontières... assez éloignées, mais pas trop, elles sont à la bonne, à la juste distance... les bornes de la simple bien-veillance.

— Je pense que c'est avant le séjour de grand-mère que cela devait se situer...

— Ou est-ce après ?

— Non, avant... il me semble que grand-mère est venue quand tu allais entrer dans la classe du certificat d'études...

— Dans cette classe, la maîtresse était Mademoiselle de T... impossible de retrouver son nom, il me semble qu'il était court et se terminait par un « y » ou par un « é ». Sa fille adoptive plus jeune que moi portait, ça je m'en souviens, le prénom de Clotilde.

Madame Bernard a dû me « passer » à Mademoiselle de T... car dès les premiers jours j'ai senti chez elle de l'attention, comme de la sympathie... et après au cours de l'année elle me demandait parfois en sortant de l'école de la raccompagner jusque chez elle, ce n'était pas bien loin, quelque part du même côté de la rue d'Alésia, je n'aurais au retour aucune rue dangereuse à traverser.

Elle non plus ne posait aucune question d'ordre privé, nous nous taisions ou bien nous parlions de ce qu'on étudiait en classe ou des livres que je lisais à la maison... je les prenais comme elle à la bibliothèque de l'école communale des garçons... Nous marchons le long de la rue d'Alésia en direction du parc Montsouris, elle tient Clotilde par la

main... de temps en temps elle s'arrête, elle penche légèrement vers moi son long buste maigre, son visage très mince
aux joues plates, elle rejette, elle le fait souvent, une mèche
de ses cheveux châtains qui retombe sur son front, sur ses
yeux vifs...

En classe, elle articulait chaque mot avec une extrême
netteté, ses explications étaient lentes, patientes, presque
trop répétées... Avec elle j'avais encore plus qu'avec
Madame Bernard l'impression d'explorer... on peut y arriver, il suffit de s'efforcer... un monde aux confins tracés avec
une grande précision, un monde solide, partout visible...
juste à ma mesure.

C'est déjà avec Madame Bernard que ma gorge se serrait, les larmes me montaient aux yeux comme à elle, quand elle nous parlait de la guerre de 70, du siège de Paris, de la perte de l'Alsace-Lorraine. *La Marseillaise* que nous chantions en chœur me soulevait, me faisait vibrer, je sentais passer dans ses accents la rage d'une insupportable défaite, le désir de la revanche, l'élan guerrier...

Avec Mademoiselle de T. cette admiration pour le sacrifice de sa vie au service de la patrie a atteint son point culminant...

Le portrait de Bonaparte au pont d'Arcole, fixé entre le cadre et la glace au-dessus de ma cheminée, s'élançant le drapeau à la main, condensait en lui toutes les rêveries d'héroïsme et de gloire...

— C'est un peu plus tard que t'est venu ce grand amour pour lui...

— Était-ce de l'amour ? Je me transportais tellement en lui... Quand plus tard au lycée j'ai épinglé au mur de ma chambre une immense carte de la bataille d'Austerlitz que j'avais moi-même dessinée avec des crayons de toutes les couleurs, chaque régiment, chaque mamelon y était indiqué... c'était moi, incarnée dans ce Napoléon un peu gras et ventripotent, mais je ne le voyais pas, c'était moi à travers lui qui regardais dans la lorgnette, donnais des ordres...

— Quand Mademoiselle de T. a amené toute la classe au musée du Luxembourg et puis a donné comme devoir de français : «Décrivez le tableau que vous avez préféré», celui que tu as choisi a naturellement été *Le rêve* de Detaille...

— J'ai gardé de ce devoir la sensation que j'avais eue en décrivant des «bataillons de héros qui traversaient un ciel de gloire au-dessus des soldats endormis dans leurs capotes sombres...» un sentiment d'exaltation qui se déversait dans des phrases que j'avais prises je ne sais où, déjà ampoulées à souhait, et les gonflait pour qu'elles s'élèvent encore plus haut, jamais assez...

Un étudiant est penché sur sa table couverte de cahiers, de livres, il prépare un examen... quand soudain derrière son dos un rideau de velours sombre s'entrouvre... deux mains aux doigts épais et forts en sortent, s'avancent... des mains gantées d'une peau blanchâtre... des gants en peau humaine !... elles s'approchent doucement, elles entourent le cou de l'étudiant, elles le serrent... je meurs, j'ai beau garder allumée la lampe de ma chambre, rester couchée dans mon lit le dos appuyé contre le mur dur et nu, sans aucun rideau... rien ne peut en sortir... je vois les mains étrangleuses, elles s'approchent de mon cou par-derrière... je n'y tiens plus, je saute hors de mon lit, je cours pieds nus le long du couloir, je frappe à la porte de la chambre à coucher, mon père m'ouvre, sort en refermant doucement la porte, Véra dort... «Papa, je t'en supplie, laisse-moi rester près de toi, j'ai peur, je n'en peux plus, j'ai tout essayé, je vois les mains... — Qu'est-ce que tu as ? Quelles mains ? — Mais les mains gantées de peau humaine... je sanglote... permets-moi, je ne ferai aucun bruit, je me coucherai sur la descente de lit... — Tu es folle... Voilà ce que c'est... tu vas regarder n'importe quel film idiot... tu ne demandes même pas... — Si, je te l'ai demandé. — Non, tu n'as rien demandé du tout. — Si, je t'ai demandé si je pouvais voir *Fantômas* avec Micha et tu as dit oui... — Ce n'est pas possible... tu penses... quand on est peureux comme toi. Je suis sûr que Micha n'a pas peur... — Mais moi je vais mourir... rien que de penser que ça va revenir, reste avec moi... — C'est tout ce qui me manquait. Je dois me lever à six heures... et tu n'as rien, tu n'es pas malade, tu te laisses aller comme un bébé, une vraie mauviette... à onze ans ne pas pouvoir se dominer à ce point, c'est honteux. C'est la dernière fois que tu as été au cinéma... »

Je reviens dans ma chambre, je me recouche, la rage de m'être exposée à un rejet humiliant, à un mépris insultant m'emplit, me gonfle, je vais éclater, écraser tout ce qui osera m'approcher... des mains... n'importe quelles mains même si elles ont des gants de peau humaine... mais qu'elles sortent... mais tandis que je me recouche, que je me tourne, pas le dos au mur, pour quoi faire ? non, le dos vers le vide derrière moi, exprès, on verra bien... j'ai beau fermer les yeux, me raidir, attendre, ma fureur doit les tenir à l'écart, elles n'osent pas sortir derrière mon dos à moi, elles se tiennent bien tranquilles là-bas, dans le film, loin de moi... derrière le dos de ce jeune homme... des mains... Micha avait raison... des gants en peau humaine, ça ? Mais on voit que c'est des gants de caoutchouc... des gants de gros caoutchouc... je ris un peu trop fort, je ne m'arrête pas de rire, je pleure de rire tandis que je m'endors.

Depuis quelque temps Véra a l'air plus détendue, plus gaie qu'avant, elle n'a plus ses lèvres toujours pincées, son regard très dur, coupant, elle me fait penser à ce qu'elle était autrefois quand elle me faisait danser rue Boissonade, ou quand elle était assise auprès de mon père et de moi au Luxembourg, devant les pelouses du jardin anglais...

— Même depuis ce temps déjà lointain, il lui est arrivé parfois, bien rarement, il est vrai, de s'adoucir, de rajeunir, comme au cours de ces randonnées à bicyclette dans la forêt de Fontainebleau, ou quand tu la faisais rire en dévorant à côté d'elle d'énormes assiettées de pâtes, ou quand elle recouvrait, excitée, amusée, tes cahiers et tes livres... enfin il y a eu des moments...

— Et ces moments-ci ont encore plus de douceur que les autres, je sens chez Véra ce que je n'ai jamais senti avant... oui, un attachement, de l'affection... sûrement cela devait être là depuis longtemps, mais enfoui, ratatiné, durci, et maintenant cela se montre au-dehors, cela s'épanouit... et aussitôt ma confiance, mon affection... il faut peu de chose pour les faire sourdre... s'épandent en moi, recouvrent tout, débordent...

Alors quand Véra m'offre de m'emmener, j'en rêvais depuis longtemps, voir les grandes eaux de Versailles et me propose d'inviter deux de mes amies... «Lesquelles tu préférerais? — Lucienne Panhard... — Et encore? — Claire Hansen, elle est très gaie... on joue ensemble aux récréations, on arrive maintenant à jongler avec trois balles... un petit peu avec quatre... — Oh vous allez me montrer... nous allons pique-niquer... — Ah mais voilà... qu'est-ce que je vais faire? C'est que maman sera là... Ce sera deux jours après son arrivée... — Eh bien tu lui diras... elle comprendra très bien, elle sera ravie de savoir que tu t'amuses... — Tu crois? — Mais j'en suis sûre, quelle mère ne le serait pas?... C'est juste pour une journée... Enfin c'est comme tu veux, je ne voudrais surtout pas...»

J'hésite un seul instant et puis je ne peux pas résister, je suis tirée trop fort, happée... «Bon, oui, tant pis, je lui dirai, c'est donc sûr, on va y aller?»

Maman est là, elle est arrivée, elle va passer le mois d'août avec moi... elle m'attend, je vais la voir... il y a si longtemps que je ne l'ai pas vue, je n'avais que huit ans...

— Huit ans et demi exactement, c'était en février 1909.

— Et le 18 juillet, j'ai eu onze ans... et il me semble que je suis tout à fait une grande personne lorsque je quitte la maison de la rue Marguerin et vais seule, sans soutien, quelque part loin d'ici, où ceux qui vivent avec moi ne peuvent pas me suivre... d'ailleurs s'ils le pouvaient ils ne le voudraient pas, cela ne les concerne pas, c'est moi seule que cela concerne... Et moi je ne sais pas très bien vers quoi je vais, c'est imprécis, lointain, presque étranger... et en même temps je sais que ce que je trouverai est ce que je peux avoir de plus proche sur terre, ma mère, on n'a qu'une mère, qui ne doit préférer sa mère à tout au monde, c'est ma mère que je vais rejoindre...

On m'a expliqué avant que je parte...

— Aujourd'hui tu aurais pu imaginer que tu étais comme un parachutiste qu'on lâche au-dessus du vide en lui répétant une dernière fois : «Alors tu te rappelles bien, tu ne te tromperas pas ? tu sais ce que tu dois faire pour y arriver ?» et tu dis «Oui, je sais...» Et derrière toi la porte se referme.

— Je me conforme attentivement à toutes les indications... je tourne à gauche dans la rue d'Alésia jusqu'à la place de Montrouge, puis encore à gauche dans l'avenue d'Orléans et, arrivée à la porte d'Orléans, à gauche de nouveau, sur le même trottoir, deux ou trois maisons plus loin, il y aura un petit hôtel... et le voici, je le vois, c'est l'«Hôtel Idéal».

Je franchis la porte vitrée et je dis à une grosse dame assise derrière un comptoir à droite dans l'entrée : «Je voudrais voir Madame Boretzki...» et comme ce nom sonne bizarrement, il me semble que c'est la première fois de ma vie que je l'entends...

— Pourtant autrefois, rue Flatters, c'est déjà ainsi que ce nom se prononçait, à la française...

— Mais il y a de cela tellement longtemps, un si immense espace de temps s'est écoulé entre l'âge de six ans et celui de onze ans... Maintenant «Madame Boretzki» et d'ailleurs chaque mot que je dis rendent un son irréel, étrange... ils contrastent avec les mots qu'en réponse la dame prononce comme des mots tout à fait normaux, d'un ton indifférent, un peu distrait : «Madame Boretzki est là», et elle m'indique le numéro de sa chambre...

Je frappe à la porte, j'entends «Entrez!» et d'un seul coup, rien ne m'est plus familier que cette voix... grave, à peine un peu rauque, et aussi cette prononciation où seulement le «r» roulé et une certaine intonation révèlent l'accent russe.

Il me semble que je ne l'aurais pas reconnue si je l'avais rencontrée par hasard... elle a un peu grossi, mais c'est surtout sa nouvelle coiffure, ces deux rouleaux lisses et foncés de chaque côté du front, comme ceux que porte Véra... ils ne lui vont pas, ils donnent à son visage qui ne ressemblait à aucun autre, quelque chose de banal, d'un peu dur... Mais aussitôt que mes lèvres touchent sa peau... je ne connais pas d'autre peau semblable, plus soyeuse et plus douce que tout ce qui est soyeux et doux au monde, et son léger, délicieux parfum... j'ai envie de nouveau d'étendre la main et de caresser ses cheveux, mais je n'ose pas, je crains d'abîmer sa coiffure... ses jolis yeux mordorés, inégaux, un sourcil plus relevé que l'autre m'inspectent, il me semble qu'elle est déçue, je ne suis pas jolie «à croquer», comme on me disait souvent que je l'étais, elle le disait aussi, et personne ne le dit plus... elle hoche la tête d'un air désapprobateur...

«Comme tu as mauvaise mine, tu es si pâle... C'est ce système inhumain... des classes jusqu'à la fin de juillet... Et on bourre la tête des enfants, on en fait des petits vieux...» Je me souviens que maman n'attache pas grande importance au travail scolaire... elle le dédaigne plutôt un peu...

— Elle t'avait souvent dit qu'elle-même avait été une mauvaise élève, toujours en train de rêver... elle semblait s'en flatter... Elle t'avait raconté comme elle avait été renvoyée du lycée pour avoir gardé chez elle des tracts... mais pas par conviction révolutionnaire, une autre élève le lui avait demandé, elle ne s'était pas rendu compte du danger... et je crois qu'elle était persuadée qu'elle avait mieux à faire... Depuis son renvoi du lycée, tout ce qu'elle savait, elle l'avait appris en lisant...

— Même si tous ces détails ne me reviennent pas à l'esprit tandis qu'elle me regarde et me dit combien elle trouve malsain le système scolaire d'ici, je ne lui raconte rien sur mon école, rien sur mes efforts, sur mes succès...

Elle est à demi étendue sur son lit et moi je suis assise sur une chaise devant elle, il fait extrêmement chaud, elle a baissé sa robe de chambre sur ses épaules, un peu trop, elle s'est trop dénudée, et cela me choque un peu, et puis je me rappelle que ce sont des choses qui là-bas, en Russie, ne choquent pas comme ici... je nous revois toutes deux nues, parmi d'autres corps nus de femmes et d'enfants se mouvant dans une épaisse vapeur chaude, autrefois à Pétersbourg, quand j'étais avec elle à la «bania».

Nous restons là l'une en face de l'autre, nous nous regardons, je ne sais pas quoi dire et je vois que maman ne sait pas très bien quoi dire non plus...

— Et pourtant il fallait se parler... Que pouvait-on faire d'autre, quel autre moyen y avait-il de se retrouver ?

— Maman me dit : Kolia t'embrasse très fort, il était désolé de ne pas pouvoir partir, il termine un nouveau livre... Et puis elle se tait, je sens qu'elle cherche... « Tu te souviens des enfants avec qui tu jouais quand nous étions à Razliv ? Leur datcha était à côté de la nôtre... — Oui. J'ai conservé le petit flacon avec une petite chaîne dorée que tu m'avais donné pour mes sept ans... — Eh bien figure-toi, j'ai rencontré leur mère, l'aîné des garçons, celui qui avait neuf ans, est malade, il a une tuberculose des os, il doit rester couché... Mais sa petite sœur, elle avait le même âge que toi, tu te souviens de Valia ? elle va très bien, il paraît qu'elle est toujours le même boute-en-train... L'été dernier nous sommes allés sur la Volga... Je t'ai envoyé des cartes postales... même une photographie de Kolia et de moi dans un groupe d'amis, pendant une excursion... — Oui, je les ai... » Et maman cherche toujours... hésite...

— Comme dans un magasin de jouets, devant la vendeuse qui demande : C'est pour un enfant de quel âge ? Peut-être un jeu de cubes ? Non ? Il est trop grand... Alors un jeu de construction ?

— Elle se décide enfin... « Tu sais, là-bas, l'été dernier, il y avait un pêcheur qui attrapait des poissons gros comme ça... Nous faisions avec lui de grands feux de bois, on faisait cuire des "oukhas"... » et puis elle s'arrête, elle sent que ce n'est pas ça qu'il me faut... « Mais tu ne me dis rien, parle-moi de toi... Tu ne me racontes rien dans tes lettres... Tu as une petite sœur... quel âge a-t-elle exactement ? — Elle va avoir deux ans au mois d'août... — Elle s'appelle Lili ? — Oui. — Mais son vrai nom ? — Hélène... — Hélène ? »... maman paraît choquée... je sais que c'est parce que c'était le nom de sa fille, de ma « vraie sœur », comme je l'appelle quand je pense à elle, quand je regrette d'être si seule, de ne pas l'avoir près de moi... Au temps lointain où papa, et maman aussi parfois, m'en parlaient ils me disaient qu'on ne pouvait pas imaginer d'enfant plus doux et plus intelligent... même trop... ce sont des êtres dont on dit qu'ils n'étaient pas faits pour vivre... « Hélène... mais on ne l'appelle pas Lola ?... — Non, on l'appelle toujours Lili en français comme en russe... — Ah, tout de même... J'ai entendu dire que c'est une petite fille difficile, très nerveuse... et que cette... Véra... » je me rétracte... je sens que de nouveau maman ne sait plus très bien à qui elle parle... maintenant elle ne me voit plus du tout comme un enfant, elle croit qu'elle s'adresse à un adulte... mais je ne suis pas un adulte, en tout cas pas celui qu'elle voit... « Cette... Véra » que tire, qu'étire le dédain, le mépris, n'est pas fait pour mon usage, cela ne me convient pas, je n'en veux pas...

— Tu savais pourtant comme l'aurait su un adulte qu'il n'y avait dans ce mépris pas la moindre trace de jalousie, d'envie... tu te souvenais assez de maman pour être sûre qu'elle ne pouvait rien éprouver de cet ordre... elle n'avait jamais un instant regretté d'être partie, elle devait plutôt plaindre celle qui avait accepté la vie qu'elle-même avait refusée, elle était si profondément satisfaite de la sienne...

mais surtout maman était toujours à une distance si grande, trop grande pour qu'elle puisse jamais se mesurer, se comparer à qui que ce soit...

— Et c'est ce qui me rend « cette... Véra » encore plus pénible... Ce mépris vient de ce qu'ont révélé à maman des gens en qui elle peut avoir confiance, elle aurait aussi bien éprouvé de l'estime pour Véra si on la lui avait présentée autrement... Seulement voilà, Véra suscite, Véra mérite ce mépris, et cela me fait mal, cela me fait peur, et je me recule toujours plus loin, là où les paroles qui vont venir ne pourront plus m'atteindre... mais maman ne s'en aperçoit pas, elle continue comme si elle se parlait aussi à elle-même... « Cette... Véra n'est pas tout à fait normale... il paraît que c'est une hystérique... »

Cela me heurte, me cogne très fort, ce qu'il y a dans ce mot... je ne vois pas bien ce que c'est mais ça soulève en moi, ça fait courir en moi des vaguelettes de terreur... je secoue la tête... « Non ? elle ne l'est pas ? Eh bien tant mieux... tant mieux pour toi... »

Et d'un coup je sens, comme jamais je ne l'avais sentie avant, l'indifférence à mon égard de maman, elle sort à flots de ces mots « Eh bien tant mieux pour toi », elle déferle sur moi avec une telle puissance, elle me roule, elle me rejette là-bas, vers ce qui, si mauvais que ce soit, est tout de même un peu à moi, m'est tout de même plus proche... elle me pousse vers celle qui la remplace, auprès de qui je vais revenir, avec qui je vais vivre, celle avec qui je vis...

Comment ai-je dit à maman que le lendemain... c'était le lendemain de son arrivée... je devais aller à Versailles, et que je viendrais la voir à mon retour ? Comment a-t-elle réagi à cela ? Comment s'est passée cette journée avec Véra, Claire et Lucienne ? Je n'en ai rien retenu... Où était mon père ? Il n'aimait guère ce genre de sorties, rarissimes d'ailleurs, le dimanche. Il a dû rester à lire dans son fauteuil...

— Je me demande même si Véra l'avait mis au courant du projet... si elle lui a raconté quoi que ce soit après... Et toi, lui en as-tu parlé ? Je ne le crois pas...

— En tout cas, ce dimanche-là... et cela ne s'est jamais effacé, c'est d'une parfaite clarté... lorsque dans l'après-midi j'ai couru à l' « Hôtel Idéal » et que j'ai demandé en bas si Madame Boretzki était là, il m'a été répondu : « Non, Madame Boretzki est sortie. — Et quand va-t-elle rentrer ? — Elle n'a rien dit. »

Et le lendemain matin, quand je suis arrivée dans la chambre de maman, elle m'a annoncé qu'elle allait partir, rentrer en Russie le soir même, elle avait déjà retenu sa place dans le train... Mais en dehors de cela, tous les mots qu'elle a prononcés, les sentiments qu'elle a exprimés, ceux que j'ai éprouvés, tout a entièrement sombré depuis longtemps... Je ne peux qu'imaginer, l'ayant mieux connue depuis, sa froideur calme, cette impression qu'elle donnait d'invincibilité, comme si elle avait elle-même reçu une impulsion à laquelle il lui était impossible de résister... c'est ce que mon père, au moment où il le quittait, a dû ressentir... je l'ai compris beaucoup plus tard, grâce à quelques mots qu'il m'en a dit en parlant non pas d'elle, mais de « ces êtres qui »… il n'y avait aucun moyen de l'atteindre… je la sentais déjà là-bas, très loin de moi. Il n'est pas vraisemblable que j'aie même essayé de la retenir.

Je devais être méduffée par l'étonnement. Écrasée sous le poids de ma faute, assez lourde pour avoir pu amener une pareille réaction. Et peut-être ai-je aussi eu quelques soubresauts de révolte, de colère… Je n'en sais rien.

Ce qui seul se dégage de l'oubli et ressort c'est, peu de temps avant que nous nous quittions, ceci : elle est assise à côté de moi, à ma gauche, sur le banc d'un jardin ou d'un square, il y a des arbres autour… je regarde dans la lumière du soleil couchant son joli profil doré et rose et elle regarde devant elle de son regard dirigé au loin… et puis elle se tourne vers moi et elle me dit : « C'est étrange, il y a des mots qui sont aussi beaux dans les deux langues… écoute comme il est beau en russe, le mot *gniev*, et comme en français "courroux" est beau… c'est difficile de dire lequel a plus de force, plus de noblesse… elle répète avec une sorte de bonheur *Gniev*… "Courroux"… elle écoute, elle hoche la tête… Dieu que c'est beau… et je réponds Oui. »

Tout de suite après le départ de maman nous sommes allés habiter comme chaque été une villa à Meudon… J'avais probablement un air accablé, morne et triste que Véra et mon père devaient trouver ridicule, exaspérant… et qui a dû un beau jour, peu de temps après le départ de maman, inciter mon père à venir vers moi, brandissant une lettre… « Tiens, voilà ce que ta mère m'écrit, regarde… » et je vois tracé de la grosse écriture de maman : « Je vous félicite, vous avez réussi à faire de Natacha un monstre d'égoïsme.

Je vous la laisse... », mon père m'arrache la lettre des mains avant que j'aie fini de la lire, il la froisse, il l'écrase dans son poing, il la jette loin de lui, il émet une sorte de craquement qui montre qu'il est sur le point d'éclater d'indignation, de fureur... Haa...

Trois ans après, en juillet 1914, ma mère est revenue. Cette fois j'habitais avec elle à Saint-Georges-de-Didonne, dans une jolie maison où nous occupions deux chambres et une cuisine donnant sur un grand verger.

Jamais je n'avais vu quelqu'un d'aussi épanoui, d'aussi gai qu'elle, admirant sans cesse autour de nous les pins, la mer, les prairies, les arbres, les fleurs... qu'elle n'aimait pas couper, elle préférait les regarder... toujours prête à s'amuser de n'importe quoi, prompte comme moi aux fous rires...

«Ma maison n'est pas une souricière!»... cette phrase que maman répétait nous faisait rire aux larmes... Nous avions entendu un acteur la prononcer avec une énorme emphase dans un mélodrame joué par un théâtre ambulant... «Ma maison... et maman étendait le bras, rejetait la tête en arrière... n'est pas une souricière!» Nous trouvions cela désopilant...

Et puis au mois d'août, le tambour a annoncé la mobilisation générale. Et après, des feuilles collées sur la mairie nous ont appris que c'était la guerre. Maman s'est affolée, il fallait qu'elle rentre en Russie immédiatement sinon elle serait coupée, retenue ici... elle pouvait encore prendre un bateau qui partirait de Marseille...

Je l'ai accompagnée à Royan, au train... j'étais déchirée...

et ce qui me déchirait encore davantage, c'était sa joie qu'elle ne cherchait même pas à dissimuler... ce beau voyage jusqu'à Constantinople... et puis la Russie et Pétersbourg et Kolia... comme il devait l'attendre... comme il devait être inquiet...

Quand je suis revenue dans la villa que mon père et Véra avaient louée à l'autre bout de Saint-Georges-de-Didonne, mon air désolé a dû encore cette fois les agacer, mon père était plus froid avec moi que d'ordinaire et Véra plus sif-flante encore, plus vipérine qu'elle ne l'était assez souvent dans ce temps-là.

Peu de temps après le départ de grand-mère, Véra a décidé que le moment était venu où Lili devrait absolument avoir une gouvernante anglaise. Si l'on attendait davantage, Lili n'aurait plus le bon accent.

Ne sachant pas elle-même l'anglais, elle faisait soigneusement contrôler la façon de parler des jeunes Anglaises qui se présentaient par une amie qui s'y connaissait, et ne choisissait que parmi celles qui avaient la prononciation la plus pure.

Véra leur faisait bien comprendre qu'elles n'étaient engagées que pour donner leurs soins à « la petite », « la grande » n'en avait pas besoin.

Il s'est révélé rapidement que rien ne pouvait davantage fâcher Véra, l'indisposer contre elles que de les entendre m'adresser la parole en anglais, me faire une observation quelconque touchant à mon éducation, enfin de les voir s'occuper tant soit peu de moi.

Il me semble maintenant que c'était peut-être là un effort de sa part pour équilibrer entre Lili et moi les avantages, les chances... Je parlais très bien le russe, quelque peu l'allemand, je n'avais pas besoin en plus de l'anglais... Et même, l'anglais dont la connaissance était pour elle un signe de distinction, d'élégance procurerait quelques points d'avance sur moi à Lili. Et aussi peut-être trouvait-elle que sa mère m'avait donné bien davantage qu'à sa véritable petite-fille et que mon père se préoccupait un peu trop de moi...

En tout cas, si Véra avait voulu me donner à moi la passion de l'anglais, elle n'aurait pas pu mieux s'y prendre... Et puis il s'est trouvé que cette langue par elle-même m'enchantait. Et aussi elles me semblaient pour la plupart charmantes, ces jeunes Anglaises candides, toutes fraîches écloses de leurs enfances champêtres de filles de pasteurs, d'instituteurs... des enfances qui n'avaient pu être que ce que sont les « vraies » enfances vécues dans l'insouciance, dans la sécurité, sous la ferme et bienveillante direction de parents unis, justes et calmes... Elles se sentaient perdues ici, aux prises avec les passions obscures, les réactions sauvages de Véra.

Elles se rendaient compte au bout d'un certain temps qu'elles occupaient dans cette maison le point le plus « chaud », le plus dangereux, elles avaient la charge de Lili... Lili protégée contre tous par le puissant système de défense disposé autour d'elle par sa mère... Celles qui commettaient tant soit peu l'imprudence d'amener Lili à mettre en branle par ses plaintes, ses pleurnicheries, ce dispositif toujours en état d'alerte, devaient se dépêcher de battre en retraite... Si elles osaient se défendre, elles recevaient la volée de mitraille de ces mots lancés par Véra sur son ton sans réplique : « Lili-ne-ment-jamais. »

Peu d'entre elles parvenaient à tenir bien longtemps à ce poste d'où en présence de Véra je m'approchais le moins possible. Mais je ne m'en privais pas quand Véra s'absentait, ce qui arrivait assez souvent.

Le soir surtout, quand Véra et mon père étaient sortis, nous nous retrouvions, ces jeunes Anglaises esseulées et moi, dans leur chambre près de la mienne, celle que grand-mère avait occupée, qui avait l'avantage d'être plus près de l'entrée... de là nous pouvions mieux entendre les bruits dans l'escalier, la porte cochère qui se referme, les pas qui montent... ils s'arrêtent sur le palier... la clef tâtonne dans la serrure, elle va tourner... Il faut que je m'arrache à la joie d'écouter, de m'efforcer de parler moi-même cette langue, de découvrir à travers ces nostalgiques et tendres récits, comme à travers les délicieux nursery rhymes et les petits livres pour enfants destinés à Lili, un pays où tout me charme, éveille en moi aussi une tendresse, une nostalgie... mais il n'y a plus un instant à perdre, je me sauve, je referme doucement ma porte...

— Tu te souviens de Miss Philips, rencontrée bien plus tard...

— Ce devait être une vingtaine d'années après son départ... Je l'ai revue au Bois, en uniforme bleu marine de nurse, poussant un landau d'enfant... Je l'ai tout de suite reconnue et elle a paru agréablement surprise de voir que j'avais réussi à survivre... Elle m'a dit : *I still see your step-mother in my nightmares*, et nous nous sommes quittées en riant.

On a mis dans ma chambre une vieille commode ache-
tée chez un brocanteur, elle est en bois sombre, avec une
épaisse plaque de marbre noir, des tiroirs ouverts se dégage
une forte odeur de renfermé, de moisi, ils contiennent plusieurs énormes volumes reliés en carton recouvert d'un
papier noir à veinules jaunâtres... le marchand a oublié ou
peut-être négligé de les retirer... c'est un roman de Ponson
du Terrail, *Rocambole*.

Tous les sarcasmes de mon père... « C'est de la came-
lote, ce n'est pas un écrivain, il a écrit... je n'en ai, quant à
moi, jamais lu une ligne... mais il paraît qu'il a écrit des
phrases grotesques... "Elle avait les mains froides comme
celles d'un serpent..." c'est un farceur, il se moquait de ses
personnages, il les confondait, les oubliait, il était obligé
pour se les rappeler de les représenter par des poupées
qu'il enfermait dans ses placards, il les en sortait à tort et
à travers, celui qu'il avait fait mourir, quelques chapitres plus
loin revient bien vivant... tu ne vas tout de même pas perdre
ton temps... » Rien n'y fait... dès que j'ai un moment libre je
me dépêche de retrouver ces grandes pages gondolées,
comme encore un peu humides, parsemées de taches verdâtres, d'où émane quelque chose d'intime, de secret... une
douceur qui ressemble un peu à celle qui plus tard m'en-

veloppait dans une maison de province, vétuste, mal aérée, où il y avait partout des petits escaliers, des portes dérobées, des passages, des recoins sombres...

Voici enfin le moment attendu où je peux étaler le volume sur mon lit, l'ouvrir à l'endroit où j'ai été forcée d'abandonner... je m'y jette, je tombe... impossible de me laisser arrêter, retenir par les mots, par leur sens, leur aspect, par le déroulement des phrases, un courant invisible m'entraîne avec ceux à qui de tout mon être imparfait mais avide de perfection je suis attachée, à eux qui sont la bonté, la beauté, la grâce, la noblesse, la pureté, le courage mêmes... je dois avec eux affronter des désastres, courir d'atroces dangers, lutter au bord de précipices, recevoir dans le dos des coups de poignard, être séquestrée, maltraitée par d'affreuses mégères, menacée d'être perdue à jamais... et chaque fois, quand nous sommes tout au bout de ce que je peux endurer, quand il n'y a plus le moindre espoir, plus la plus légère possibilité, la plus fragile vraisemblance... cela nous arrive... un courage insensé, la noblesse, l'intelligence parviennent juste à temps à nous sauver...

C'est un moment de bonheur intense... toujours très bref... bientôt les transes, les affres me reprennent... évidemment les plus valeureux, les plus beaux, les plus purs ont jusqu'ici eu la vie sauve... jusqu'à présent... mais comment ne pas craindre que cette fois... il est arrivé à des êtres à peine moins parfaits... si, tout de même, ils l'étaient moins, et ils étaient moins séduisants, j'y étais moins attachée, mais j'espérais que pour eux aussi, ils le méritaient, se produirait au dernier moment... eh bien non, ils étaient, et avec eux une part arrachée à moi-même, précipités du haut des falaises, broyés, noyés, mortellement blessés... car le Mal est là, partout, toujours prêt à frapper... Il est aussi fort que le Bien, il est à tout moment sur le point de vaincre... et cette fois tout est perdu, tout ce qu'il peut y avoir sur terre de plus noble, de plus beau... le Mal s'est installé solidement, il n'a négligé aucune précaution, il n'a plus rien à craindre, il savoure à l'avance son triomphe, il prend son temps... et c'est à ce moment-là qu'il faut répondre à des voix d'un autre monde... « Mais on t'appelle, c'est servi, tu n'entends pas ? »... il faut aller au milieu de ces gens petits, raisonnables, prudents, rien ne leur arrive, que peut-il arriver là où ils vivent... là tout est si étriqué, mesquin, parcimonieux... alors que chez nous là-bas, on voit à chaque instant des palais, des hôtels, des meubles, des objets, des jardins, des équipages de toute beauté, comme on n'en voit jamais ici, des flots de pièces d'or, des rivières de diamants... « Qu'est-ce qu'il arrive à Natacha ? » j'entends une amie venue dîner poser tout bas cette question à mon père... mon air absent, hagard, peut-être dédaigneux a dû la frapper... et mon père lui chuchote à l'oreille... « Elle est plongée dans *Rocambole* ! » L'amie hoche la tête d'un air qui signifie : « Ah, je comprends... »

Mais qu'est-ce qu'ils peuvent comprendre...

À Vanves, à l'angle de deux longues rues mornes, dans une maison de pierre d'un gris sale, semblable à l'extérieur aux autres maisons, mon père s'efforce de reconstituer en bien plus petit sa « fabrique de matières colorantes » d'Ivanovo.

Dans la cour de terre battue entourée de petits hangars, qui se trouve derrière la maison, je sens comme dans la cour qui s'étendait devant les vastes bâtisses de bois d'Ivanovo une écœurante odeur d'acide et je dois comme là-bas enjamber des ruisseaux de liquide rouge, bleu, jaune... En passant devant la porte ouverte d'un petit bureau, je reconnais sur une table le grand boulier avec ses boules jaunes et noires qu'on fait descendre et monter le long des tringles. Dans le laboratoire mon père vêtu d'une blouse blanche se penche sur une table où devant les éprouvettes dressées dans leurs supports de bois, les cornues, les lampes, sont alignées des plaques de verre... sur deux d'entre elles s'élève un petit tas de poudre d'un jaune éclatant... je sais, mon père en parle souvent, que cela s'appelle du « jaune de chrome »... Il observe longuement l'un des petits tas... « Regarde bien, tu ne trouves pas qu'il a moins d'éclat que l'autre ? Il est un petit peu plus grisâtre... Je m'efforce de voir une différence... — Non, je ne vois pas... ou peut-être si, un petit peu... — Un peu trop, c'est évident, il est plus terne... Ça ne fait rien, je crois que je sais d'où ça vient, on va refaire ça... mais ça suffit pour aujourd'hui, allez viens, on s'en va... »

Nous descendons l'escalier, nous allons dire au revoir à Monsieur et Madame Florimond. Ils travaillent ici et ils habitent un logement sur la rue, au rez-de-chaussée.

Je les voyais rarement, mais curieusement leur image s'est imprimée en moi plus fortement que celles mêmes des gens que je connaissais le mieux... Il me semble que c'est parce qu'ils étaient pour moi « les Florimond », comme les exactes reproductions des images que mon père traçait en moi avec toute sa conviction, sa passion... des images simples et nettes... comme des enluminures, des images de piété... comme des illustrations des qualités que mon père estime... Sur le visage de Monsieur Florimond, sa houppe de cheveux, son cou, ses mains comme imprégnés de couleur rouge, je vois son amour du travail, il en oublie de prendre des précautions... ce qui passe à travers ses yeux rougis et coule dans mes yeux, c'est son intelligence... bien des savants pourraient la lui envier... c'est sa franchise, sa fierté... et Madame Florimond avec son corps dodu, ses joues rondes, sa bouche que son sourire relève davantage d'un côté, ses grands yeux attentifs... est l'image du dévouement, de la modestie, mais aussi de la fermeté... Et comme ils s'aiment... un peu de mélancolie passe dans la voix de mon père quand il évoque les touchantes attentions qu'ils ont l'un pour l'autre... « des gens merveilleux, je ne sais pas ce que j'aurais fait sans eux, je n'ai pas de meilleurs amis qu'eux, c'est une grande chance... » Ils se penchent vers moi, ils me tapotent la tête... « Comme elle vous ressemble »... Mon père m'attend sur le seuil de la porte... Il se découpe là, très mince et droit, une image, lui aussi, celle de la détermination, de l'énergie... son visage est plus jeune et plus heureux que d'ordinaire... Il dit « Bon. Alors à demain... un "Bon" par où s'échappe un peu de sa satisfaction, un "Bon" où je perçois Comme c'est bon, comme c'est bien qu'il en soit ainsi, que j'aie reçu aujourd'hui ma part d'efforts quotidiens, que je la reçoive encore demain... Sans cette part, comment est-il possible de vivre ?... Bon. Alors à demain... Allons viens, ma fille. »

C'est ainsi qu'il m'appelle parfois depuis que je suis à Paris, quand il se montre tendre avec moi. Plus jamais Tachok, mais ma fille, ma petite fille, mon enfant... et ce que je sens dans ces mots, sans jamais me le dire clairement, c'est comme l'affirmation un peu douloureuse d'un lien à part qui nous unit... comme l'assurance de son constant soutien, et aussi un peu comme un défi...

— Mais crois-tu que vraiment, même à ce moment-là, dans ce havre retiré, ce sanctuaire, sous la protection de ces images saintes, tu aies perçu dans ces mots...

— Je ne crois pas que même là j'aie pu entendre mon père me dire « Ma fille » comme si j'entendais de simples mots usuels, banals, tout naturels et allant de soi, les mots qu'ont entendus Monsieur et Madame Florimond.

Nous revenons, Véra et moi, de l'avenue d'Orléans où nous sommes allées faire des achats, nous marchons tranquillement le long de la rue d'Alésia, nous allons quelques pas plus loin la traverser pour entrer dans la rue Marguerin... quand tout à coup je pose la main sur la main de Véra qui tient légèrement soulevée sa longue jupe et je lui demande ce qui s'appelle à brûle-pourpoint : « Dis-moi, est-ce que tu me détestes ? »

Je savais bien que Véra ne me répondrait pas « Oui, je te déteste »... je devais espérer que ce mot violent, lancé à l'improviste, l'accrocherait, la tirerait vers moi, elle serait forcée de se tourner vers moi, de plonger au fond de mes yeux un regard navré et de me dire : « Mais qu'est-ce que tu racontes ? Mais au contraire, voyons, comment ne le sens-tu pas ? »

— Non, là tu vas trop loin, tu ne pouvais pas t'attendre à de telles effusions...

— Alors je voulais au moins qu'elle me regarde d'un air agacé, qu'elle hausse les épaules et dise : Mais quelle stupi-

dité! Vraiment «les oreilles se fanent» en entendant ça...
une expression qu'elle employait souvent...

Enfin, il est certain que j'attendais, que je quêtais une
petite tape rassurante.

— Et peut-être as-tu cherché à profiter de ce calme, de
cette entente pour l'effrayer : Tu vois, regarde, maintenant,
quand tu te conduis si bien, observe ce qui se passe parfois
en toi, ces brusques fureurs rentrées, ces bouillonnements,
ces sifflements qui te viennent on ne sait d'où... peut-être
de ma seule présence... regarde, voilà comment on nomme
ça : «détester», ça s'appelle ainsi. C'est clair, tu me
«détestes»... Non? Ce n'est pas clair? Ce n'est pas ça? Tu
ne me détestes pas? Qu'est-ce que c'est alors? Essayons de
l'examiner ensemble... en toute sincérité... nos deux âmes
rapprochées... je suis toute prête à voir dans la mienne ce
que tu y vois, et toi aussi... nous allons d'un même élan, d'un
même cœur...

— Oui, il devait y avoir quelque chose comme ça, si
incroyable que cela paraisse...

Véra s'arrête brusquement, elle garde le silence... et puis
elle dit de son ton bref, péremptoire : «Comment peut-on
détester un enfant?»

Des mots qu'elle est allée chercher et qu'elle a rapportés de là où je ne peux pas la suivre... des mots compacts,
opaques où je ne perçois que ce «on» que je connais...
«On»... les gens normaux, les gens moraux, ceux qui sont
comme on doit être, ceux dont elle fait partie...

Et «détester»... quel mot!... un de ces mots trop forts,
de mauvais goût... qu'un enfant bien élevé ne doit pas

employer, et surtout... quelle outrecuidance... oser se l'appliquer à lui-même...

« Est-ce que tu me détestes ? »

Mais pour qui se prend donc cet enfant ? « détester » ! comment un enfant peut-il provoquer un pareil sentiment ?

Il faut que je mange encore beaucoup de soupe avant qu'on puisse me « détester »... Je devrai encore attendre assez longtemps pour obtenir cette promotion...

Mais plus tard, quand je n'appartiendrai plus à cette catégorie de pitoyables pygmées aux gestes peu conscients, désordonnés, aux cerveaux encore informes... plus tard, si cela subsiste encore en moi, ce qui s'y trouve déjà... quelque chose que je ne vois pas, mais qu'elle voit... si cela reste en moi, ce qu'on ne peut pas détester maintenant, on ne déteste pas un enfant... mais quand je ne serai plus un enfant... mais si je n'étais pas un enfant... ah, alors là...

Je dévale en courant, en me roulant dans l'herbe rase et drue parsemée de petites fleurs des montagnes jusqu'à l'Isère qui scintille au bas des prairies, entre les grands arbres... je m'agenouille sur son bord, je trempe mes mains dans son eau transparente, j'en humecte mon visage, je m'étends sur le dos et je l'écoute couler, je respire l'odeur de bois mouillé des énormes troncs de sapins écorcés portés par son courant et qui ont échoué près de moi dans les hautes herbes... je colle mon dos, mes bras en croix le plus fort que je peux contre la terre couverte de mousse pour que toutes les sèves me pénètrent, qu'elles se répandent dans tout mon corps, je regarde le ciel comme je ne l'ai jamais regardé... je me fonds en lui, je n'ai pas de limites, pas de fin.

Le brouillard qui monte jusqu'à l'hôtel, recouvre les prés, emplit la vallée, est bienfaisant, il adoucit, il rend moins douloureuse la fin des vacances... Sa fraîcheur, sa grisaille me stimulent, elles fortifient mon impatience d'affronter enfin ce qui m'attend à la rentrée, cette «nouvelle vie» au lycée Fénelon, on m'a dit qu'on y travaille tellement, que les professeurs y sont très exigeants, tu verras, les premiers temps risquent d'être difficiles, ça te changera de l'école primaire...

Enfin un matin très tôt, Véra me conduit jusqu'à l'angle de l'avenue d'Orléans et de la rue d'Alésia où s'arrête le tramway Montrouge-Gare de l'Est... Elle m'aide à escalader le marchepied, elle se penche vers la portière et elle dit au contrôleur : «Soyez gentil, c'est la première fois que "la petite" prend le tramway toute seule, rappelez-lui de descendre au coin du boulevard Saint-Germain...», elle me dit encore une fois de faire bien attention, je la rassure d'un geste et je vais m'asseoir sur la banquette en bois sous les fenêtres, mon lourd cartable neuf bourré de cahiers neufs et de nouveaux livres, posé par terre entre mes jambes... Je me retiens de bondir à chaque instant, je me tourne d'un côté et de l'autre pour regarder les rues à travers les vitres poussiéreuses... c'est agaçant que le tramway s'attarde tant à chaque arrêt, qu'il ne roule pas plus vite...

Rassure-toi, j'ai fini, je ne t'entraînerai pas plus loin...

— Pourquoi maintenant tout à coup, quand tu n'as pas craint de venir jusqu'ici ?

— Je ne sais pas très bien... je n'en ai plus envie... je voudrais aller ailleurs...

C'est peut-être qu'il me semble que là s'arrête pour moi l'enfance... Quand je regarde ce qui s'offre à moi maintenant, je vois comme un énorme espace très encombré, bien éclairé...

Je ne pourrais plus m'efforcer de faire surgir quelques moments, quelques mouvements qui me semblent encore intacts, assez forts pour se dégager de cette couche protectrice qui les conserve, de ces épaisseurs blanchâtres, molles, ouatées qui se défont, qui disparaissent avec l'enfance...

— Je ne serais pas bien... si... en si tais ans es... vous dirais si je pleure...

Chacque... que qu'il me semble que... trêve pour me... bonheur. Tu ne le regardes, ça qui... aime a moi, mais je... Et je... comme on si comme espace très agréable si bien peut-être...

Je ne pouvais pas... en sortir car de faire sur... quelque pomme... que nous n'auver... ne si qu'il me semblait. Il faut au intant... s'en sont pour le... de ger... de votre fou... le y... fortunée que je... conserver... de ces replies ou... blanches... milles... cette... rail se... étions... qui disparaissaient avec l'enfance.

Du tableau

au texte

Isabelle Varloteaux

Du tableau au texte

Promenade
de Witold Wojtkiewicz

... un moment d'extase enfantine...

Nathalie Sarraute répétait volontiers n'avoir «jamais pu tracer de frontières entre roman et poésie» : en saisissant les sensations au plus près de leur source, elle se montre capable de faire émerger de son texte une véritable émotion esthétique. Dans *Enfance*, l'écrivain nous donne à lire des pages de ses jeunes années, empreintes d'une poésie inspirée par des images qui en appellent à nos sens. Dans le passage où elle raconte cet instant délicieux qui fait suite à la lecture d'un conte d'Andersen, dans le jardin du Luxembourg, elle se souvient d'avoir apprécié les «espaliers en fleurs le long du petit mur de briques roses, les arbres fleuris, la pelouse d'un vert étincelant jonchée de pâquerettes, de pétales blancs et roses, le ciel, bien sûr, était bleu, [tandis que] l'air semblait vibrer légèrement...». Ce descriptif, qui relate un moment d'extase enfantine, nous touche à la fois par la simplicité et la profondeur des émotions suggérées. Au-delà des mots qui ne peuvent qualifier l'ampleur de sa perception, tels que «félicité», «exaltation» ou «joie», l'auteur résume l'intensité de son sentiment en exprimant cette forme d'osmose — osmose qu'elle ressent encore au moment où elle écrit ces lignes —

avec le jardin du Luxembourg... C'est finalement la
vibration suscitée par les souvenirs qui semble le plus
intéresser l'écrivain, plutôt qu'un plongeon dans un
passé lointain.

... l'expression d'un sentiment particulier...

Cette recherche de l'émotion et sa traduction dans
une forme artistique telle que le dessin ou la peinture,
c'est ce qu'a toujours cherché à faire le jeune peintre
polonais Witold Wojtkiewicz (1879-1909). Peintre, des-
sinateur et illustrateur, Wojtkiewicz est un artiste émi-
nent de l'Art nouveau polonais. Né à Varsovie, il
travaille comme illustrateur satirique dans différentes
revues tout en poursuivant des études artistiques. Il vit
également de sa plume en écrivant pour un hebdo-
madaire humoristique un feuilleton sur la vie des
artistes. Il est considéré comme le précurseur de nombreux courants dans les arts plastiques polonais du
XXᵉ siècle, notamment par sa traduction des secrets de
l'âme, qui s'assimile à l'expressionnisme, art qui vise à
exprimer la palette des sentiments humains, puis une
certaine forme de surréalisme, quand il s'aventure sur
le terrain de la folie et de l'inconscient. Son aptitude à
créer des équivalents artistiques aux textes littéraires le
prédestine à rejoindre en 1905 le *Grupa Pieciu* (Groupe
des cinq), constitué de jeunes artistes en rupture avec
les canons officiels de la peinture polonaise de
l'époque. Leur vœu est de reprendre à leur compte
l'idée romantique de correspondances entre les arts, —
c'est-à-dire le principe de parenté entre les arts plastiques, la littérature et la musique —, idée chère à
Charles Baudelaire.

Le monde de l'artiste devient alors celui du théâtre,

du cirque et de la foire. Cet univers lui permet de jouer avec une multitude d'expressions humaines qu'il imprime sur les visages de clowns grimaçants, de pierrots léthargiques ou de comédiens pensifs. À partir de cet univers particulier, l'artiste cherche à pénétrer les profondeurs du psychisme humain, jusqu'à explorer le domaine de l'anormal en s'intéressant dans certains tableaux au thème de la monomanie. Ce travail sur l'expression d'un sentiment particulier et d'une angoisse qui transparaît derrière le masque des convenances, Witold Wojtkiewicz s'y attache quand il peint un monde adulte mais aussi, et cela encore plus fortement, en s'appropriant le monde de l'enfance.

C'est à l'invitation d'André Gide, qui avait découvert ses œuvres en 1907, dans une galerie berlinoise, que Witold Wojtkiewicz vient à Paris. L'écrivain français, qui avait fait un bref voyage à Berlin en janvier de cette même année, en compagnie du peintre Maurice Denis, avait été charmé par l'univers si particulier de l'artiste polonais, au point de vouloir lui consacrer une exposition en France. Enthousiaste, le jeune Witold déclare : « Je peins sans m'arrêter, comme un peintre ordinaire, et je mange Paris des yeux… comme le bonheur. »

… l'emprisonnement des particules de lumière…

Promenade est une aquarelle de petit format, peinte en 1905. Grâce à cette technique, qui associe des couleurs, sous forme de pigments broyés, à de l'eau et à un liant tel que la gomme arabique, l'artiste transmet une forte impression avec une certaine économie de moyens. Depuis longtemps, les peintres utilisent l'aquarelle pour peindre des représentations de la nature. Les émotions ressenties devant la puissance des éléments, qu'il s'agisse d'un bref changement de temps, d'un rai de lumière à travers les nuages, ou d'une variation des effets de l'atmosphère, ont trouvé dans le travail de cette technique picturale une traduction fidèle : en témoignent la fluidité des couleurs qui sont poussées les unes vers les autres, le résidu de pigment retenu par endroits par le papier, l'emprisonnement des particules de lumière, les jeux du pinceau qui déposent des voiles de tonalités harmonieuses.

C'est historiquement à la Chine ancienne que l'on doit la découverte de ce moyen d'expression. Avec la première utilisation de l'encre (noir de fumée, gélatine, camphre et eau mélangés) en 2500 avant J.-C., puis l'invention du pinceau vers 250 avant J.-C., les Chinois sont à l'origine d'un art qui a permis aux artistes d'explorer un champ esthétique particulièrement vaste. Longtemps utilisée pour les enluminures des manuscrits médiévaux, puis les portraits miniatures sur ivoire de la Renaissance, l'aquarelle va se répandre dans l'Europe entière pour devenir, plus particulièrement au XVIIIᵉ siècle, un support privilégié de l'école anglaise.

... le spectateur est invité à pénétrer dans le tableau...

Chez Witold Wojtkiewicz, qui affectionne cet art, l'ensemble de la composition est baigné d'un caractère diaphane et d'une légèreté presque irréelle. D'un aspect plutôt gentil, *Promenade* nous séduit par sa composition simple et l'équilibre de sa gamme colorée. Une fillette poussant une brouette ou une poussette, dans laquelle se tient sa poupée, marche à côté d'une femme dans un jardin public. Une scène à l'aspect paisible, et pourtant notre regard s'accroche et perçoit comme un indicible malaise.

Les arbres du parc, suggérés par de larges bandeaux qu'habille une frondaison automnale, servent de décor à cette scène de promenade tandis que les feuilles, sortes de taches roussies, ponctuent le sol gris de l'allée. « La douceur des rayons d'un soleil pâle, les feuilles d'or et de pourpre des arbres... », le climat des souvenirs de l'écrivain trouve dans le tableau un écho harmonieux. Par ailleurs, les formes, quoique travaillées sur un dessin préalable, sont indécises. Les contours des robes de la femme et de la fillette ont cet aspect flottant qui contribue à donner à l'ensemble un effet vibratoire. On sentirait presque cet « air qui vibre parcouru de tremblements à peine perceptibles, d'ondes... d'ondes de vie » dont parle Nathalie Sarraute, se souvenant de sa promenade au jardin du Luxembourg.

La vie transparaît de façon étrange dans le regard de l'enfant. Contrairement à la silhouette de la femme qui n'est que grossièrement suggérée par deux formes aux teintes proches de celles des arbres, la fillette nous apparaît coquettement vêtue et chapeautée. Son attitude aux bras tendus pour pousser sa brouette rutilante où trône sa poupée lui imprime une posture presque mécanique. Aucun plaisir, aucune satisfaction ne s'échappe de cette promenade enfantine. Bien au contraire : les yeux, comme deux petites billes noires, laissées là comme des points de suspension, nous interpellent. Désormais, par ce regard appuyé, le spectateur est invité à pénétrer dans le tableau.

... un petit drame de l'existence...

La traduction d'une interrogation et d'un certain malaise joue aussi sur l'étrange relation que semblent entretenir les trois personnages de cette courte scène de promenade : la femme (mère, nurse ou belle-mère, comme dans l'univers de l'écrivain), l'enfant et la poupée. L'artiste brise tout échange entre ces êtres : la femme — « voici que s'approche une masse informe » —, indifférente à l'enfant, a un visage réduit à une forme abstraite ocrée, sans expression, tandis que la fillette, à la carnation presque livide, se détourne de ce qui devrait être son centre d'intérêt pour nous interpeller du regard. Enfin, il y a l'attitude de la poupée, marionnette désemparée ou sorte d'enfant en réduction qui semble regarder sa petite mère, sans qu'aucune réponse à son appel lui soit donnée. Cette absence de relation fait du spectateur le témoin d'un petit drame de l'existence : le quotidien de l'enfance, même parsemé de bonheurs, est bien ponctué de grandes solitudes.

Nathalie Sarraute, enfant qui vit alternativement chez ses deux parents de 1902 à 1909, date à laquelle elle restera définitivement chez son père, raconte elle aussi son isolement, celui d'une enfant désemparée face à l'absence de sa mère : « mes soirées, quand j'étais dans mon lit, étaient consacrées à maman… », face à la confiance trahie : « … elle me dit qu'on ne s'occupe pas bien de toi, que tu te plains… je suis atterrée, accablée sous le coup d'une pareille trahison… », ou face à une responsabilité démesurée : « je parle le moins possible de maman… Chez mon père tout ce qui peut l'évoquer risque de faire monter et se montrer au-dehors […] quelque chose que je ne veux pas voir… ». Sous une apparence presque angélique et trop sage, l'enfant, qu'il s'agisse de la petite « Tachotchek » ou de la fillette se promenant, exprime son mal-être, une douleur d'enfance qui rend le spectateur d'autant plus sensible que chacun peut s'y reconnaître. Tout comme Sarraute, Wojtkiewicz réussit, par son langage esthétique, à transmettre l'émotion, grâce aux puissants contrastes entre la légèreté et l'effet vibratoire de l'aquarelle, et la profondeur de l'expression suggérée par un simple regard d'enfant.

... comme si un même personnage pouvait exprimer les deux phases extrêmes de l'existence...

L'aquarelle est un art de l'instant, par sa technique même qui ne permet ni reprise ni repentir (correction faite sur un sujet déjà peint) comme pour la peinture à l'huile. Chez Witold Wojtkiewicz, le traitement de la touche aquarellée épouse harmonieusement la volonté d'aller au plus profond d'une expression saisie dans l'immédiateté. On imagine le peintre, carton et pinceaux en main, faire une ébauche rapide lors de son passage au jardin du Luxembourg, jardin qu'il découvre en 1907. L'artiste a réussi à prendre sur le vif une expression dans le regard d'une fillette croisée au détour d'une allée, témoin d'une forme de maturité surprenante pour une si jeune enfant. Il ne s'agit pas d'une ingénue mais bien d'un petit être curieux et intelligent, tout comme l'était la petite Natacha qui, « passé les grilles du Grand Luxembourg », s'abandonnait à l'examen attentif et critique des autres bambins perdus dans leurs jeux.

L'artiste, quant à lui, dira, de ses longs passages au jardin du Luxembourg, avoir vu « une masse d'enfants qui s'amusent comme nulle part au monde, surtout les petites filles, de petites femmes habiles, presque fatiguées de vivre dès l'âge de neuf, douze ans, [et qui] jettent en alternance un coup d'œil aux hommes mûrs et à leur ballon, puis s'en vont, sans regret ni remords, à tel point que plus d'un saint Antoine serait ému jusqu'aux larmes de leur maturité précoce ». Dans le monde de Witold Wojtkiewicz, l'enfant, par son regard, son attitude ou ses gestes, se mue en une sorte de petit adulte, comme si un même personnage pouvait exprimer les deux phases extrêmes de l'existence : l'enfance et la maturité. Peut-être est-ce en cela que l'œuvre de l'artiste polonais nous paraît à la fois troublante et séduisante.

Le texte

en perspective

Fanny Gayon

Mouvement littéraire

Le Nouveau Roman

LE NOM DE Nathalie Sarraute (1900-1999) évoque immédiatement le Nouveau Roman. Si cela peut sembler étonnant dans la mesure où il n'y eut guère d'auteur plus éloigné des coteries littéraires, ni de pratique plus solitaire que la sienne, cette affiliation n'est pourtant pas seulement le fait de la critique littéraire. L'écrivain s'est associé de bonne grâce, et avec un certain engagement, à ce groupe, prenant la plume dans différentes revues littéraires pour en défendre les positions, participant aux colloques et aux débats qui tentaient d'en cerner la spécificité.

Elle accepta même de figurer sur la fameuse photographie prise par Mario Dondero en 1959 devant l'immeuble des Éditions de Minuit, où l'on voit, autour de l'éditeur Jérôme Lindon, la plupart des auteurs du Nouveau Roman, ainsi que le critique Claude Mauriac. Il manque ici trois personnalités liées au mouvement : Jean Ricardou, qui n'était encore ni critique, ni écrivain ; Michel Butor, qui était en voyage ; et Marguerite Duras... qui n'avait pas été conviée ! À l'évidence, le photographe s'est efforcé de donner l'impression d'un cliché pris sur le vif : personne ne fixe l'objectif, les attitudes sont décontractées. Au sourire qui flotte sur le visage d'Alain Robbe-Grillet, on devine qu'il a une conversation plaisante avec Claude Simon. Claude Mauriac semble intrigué par un objet échoué à ses pieds dans le caniveau. Jérôme Lindon scrute le lointain, comme happé par la vie de la rue, ou comme l'éditeur visionnaire qu'il cherche à être. Samuel Beckett, adossé au mur, les mains dans les poches, observe Robert Pinget qui allume une cigarette. Claude Ollier embrasse le groupe du regard, tandis que Nathalie Sarraute, toute petite à côté de Beckett, regarde droit devant elle, les mains dans les poches de son grand manteau, les jambes croisées. Son air figé laisse à penser qu'il lui a été moins facile qu'aux autres de se prêter au jeu. Derrière l'apparence de naturel, de liberté, voire de désinvolture, apparaît néanmoins une scène révélatrice : à la réunion amicale ou au phénomène de groupe (dont l'exclusion fait partie intégrante : Duras en est ici victime), s'oppose le jeu des regards. Aucun des protagonistes ne regarde dans la même direction et aucun regard ne se croise. Au sein même de cette unité, chacun semble suivre sa propre voie. Et c'est bien là, en effet, l'une des caractéristiques du Nouveau Roman, qui rend si difficile l'identification de ce phénomène littéraire.

1.

L'École de Paris ?

L e nombre restreint des « nouveaux romanciers » — la critique littéraire en dénombre dix —, le fait que, en ces années 1950-1960, tous soient parisiens et publiés pour la plupart (pas tous : les livres de Nathalie Sarraute paraîtront surtout chez Gallimard) aux Éditions de Minuit, sous la houlette d'un découvreur de talents passionné, Jérôme Lindon, pourraient permettre de parler d'école ou de mouvement. Pourtant, nul manifeste, nulle revue à l'origine de ce groupe, ni même un passé commun ne légitiment de telles appellations. Le nom même de Nouveau Roman est dû, comme il arrive fréquemment, à un critique parisien, farouche détracteur, qui le leur attribue ironiquement en 1957 !

Ces écrivains sont de générations différentes : si la plupart d'entre eux sont nés dans les années 1910-1920, Nathalie Sarraute, la doyenne du groupe, a vu le jour en 1900, et le plus jeune, Jean Ricardou, en 1932. Au-delà de la différence d'âge, ces écarts impliquent des parcours très différents. Les plus âgés ont connu de près la Seconde Guerre mondiale : Nathalie Sarraute, de famille juive, a vécu la fuite et la dissimulation, Claude Simon les camps de prisonniers, Alain Robbe-Grillet et Claude Ollier le Service du travail obligatoire, Marguerite Duras la clandestinité, Claude Mauriac l'engagement auprès du général de Gaulle, Samuel Beckett la Résistance. Les plus jeunes ne l'ont ressentie, eux, que de manière indirecte. Sarraute avait dix-huit ans, l'âge de l'éveil intellectuel, lorsque Marcel Proust reçut le prix Goncourt pour *À l'ombre des jeunes filles en fleurs*. Les autres étaient enfants ou pas encore nés. De plus, si Paris est leur point de rencontre, ils viennent tous d'horizons très différents : quoi de commun entre l'enfance russe entourée de bonnes de Nathalie Sarraute et le lycée français de Saigon de Marguerite Donnadieu (elle prendra plus tard le pseudonyme de Duras), entre la banlieue de Dublin où grandit Samuel Beckett et la Côte d'Azur de Jean Ricardou ?

Cette diversité des auteurs, nous la retrouvons dans leurs productions : on a souvent opposé la froideur des descriptions détaillées de Robbe-Grillet dans ses premiers romans (la maison de *La Jalousie*, la tomate des *Gommes* firent couler beaucoup d'encre) et l'importance qu'il accorde aux objets, aux remous de la psychologie sarrautienne, attentive aux moindres soubresauts des émotions et des sentiments, ou encore aux structures savantes d'un Butor dont les romans sont construits comme des labyrinthes.

Ainsi, pas d'école, ni véritablement de mouvement, mais plutôt une « collection d'écrivains » — selon l'expression de Jean Ricardou —, d'horizons divers qui, en ces années 1950, se reconnaissent en commun quelques partis pris littéraires... et surtout certains refus.

2.

L'« école du refus »

1. *L'entrée dans l'« ère du soupçon »*

Deux ouvrages théoriques vont marquer l'histoire du Nouveau Roman. Le premier, *L'Ère du soupçon* de Sarraute, paraît en 1956 aux éditions Gallimard. Il regroupe quatre articles publiés entre 1947 et 1956 dans la revue de Jean-Paul Sartre, *Les Temps modernes*, ou dans *La Nouvelle Revue française* : « De Dostoïevski à Kafka », « L'ère du soupçon », « Conversation et sous-conversation » et enfin « Ce que voient les oiseaux ». Il s'agit pour l'écrivain, comme elle le dit dans la préface, de marquer « le moment à partir duquel une nouvelle manière de concevoir le roman devait s'imposer ». Le second, *Pour un nouveau roman*, paru en 1963 aux Éditions de Minuit, constitue une théorisation plus tardive des expériences littéraires engagées par les « nouveaux romanciers » : il fera de son auteur, Alain

Robbe-Grillet — dont le troisième roman, *Le Voyeur,* publié en 1955, avait suscité une forte polémique —, à la fois le théoricien et la figure tutélaire du mouvement. On peut ajouter à ces deux piliers *Problèmes du nouveau roman* de Jean Ricardou qui, en 1967, va s'attacher à unifier les œuvres du Nouveau Roman autour de figures et de procédés communs (mise en abyme, jeux de mots, structures, etc.).

La première pierre de l'édifice du Nouveau Roman, qui justifie la diversité de ses œuvres, peut être résumée dans cette phrase de Philip Toynbee que Nathalie Sarraute cite à la fin de son article « L'ère du soupçon » (1950) : « le crime le plus grave [de l'écrivain] : répéter les découvertes de ses prédécesseurs ». Il s'agit donc de rompre avec le passé, non pas seulement par goût de la nouveauté, mais d'abord et surtout parce que le lecteur moderne, rompu aux techniques narratives du XIXe siècle, et transformé par les événements majeurs du XXe siècle, a perdu vis-à-vis du roman toute naïveté : il est entré, nous dit Nathalie Sarraute, dans l'« ère du soupçon », se défiant de ressorts romanesques qu'il reconnaît du premier coup d'œil, et doutant de la sincérité des auteurs qui osent lui présenter de si grossiers artifices. Il est donc du devoir de ces derniers de s'atteler à une recherche authentique, c'est-à-dire de « fouiller encore les régions obscures dans l'espoir d'en extraire quelques parcelles d'une matière inconnue » (article « Conversation et sous-conversation »).

2. *Écrire après la Seconde Guerre mondiale*

Pour comprendre cette position radicale, il faut se replacer dans le contexte de l'après-Seconde Guerre mondiale. Certes, le conflit de 1914-1918 avait déjà ébranlé les certitudes et les espoirs de la bourgeoisie positiviste du XIXe siècle, sa foi dans le progrès de l'humanité. Mais celui de 1939-1945, avec les exactions du régime hitlérien, a achevé d'anéantir l'idéalisation de l'homme et les derniers vestiges de l'humanisme. La littérature ne pouvait qu'en être affectée — l'écrivain allemand Theodor Adorno (1903-1969) s'interroge ainsi sur la possibilité d'écrire encore de la poésie après Auschwitz. Comment inventer des personnages, les nommer, les faire agir, parler, penser, lorsque l'humanité a commis l'impensable ? Aux auteurs qu'on appellera plus tard « nouveaux romanciers », la réponse apportée par Sartre et les existentialistes dans l'immédiat après-guerre semble insuffisante, voire contestable : leur vision tragique de la condition humaine, leur désir de fonder une nouvelle morale ne font, selon eux, que renouer avec l'ancien humanisme, illusoire et périmé. Mais, surtout, le roman continue hypocritement de s'afficher comme « une histoire où l'on voit agir et vivre des personnages » alors que ces derniers « ne parviennent plus à contenir la réalité psychologique actuelle » (« L'ère du soupçon ») ni à rendre compte de la place de l'homme dans le monde moderne.

Ainsi, tandis que Roland Barthes et Maurice Blanchot fondent la Nouvelle Critique, que Jean-Luc Godard, François Truffaut et quelques autres sont sur le point de créer la Nouvelle Vague, les écrivains du Nouveau Roman, en réaction contre Sartre, vont, tout en restant fidèles au roman en tant que genre, entreprendre de le réformer en profondeur, d'en faire de nouveau le terrain de recherche et d'expérimentations qu'il avait été autrefois chez Balzac ou Flaubert.

3.

La mort du héros

Première remise en cause : celle du personnage balzacien, caractérisé par un nom, une condition, des descriptions physiques et morales. Désormais, à la suite de Marcel Proust et de Franz Kafka, le personnage du roman traditionnel cède la place à un « être sans contours, indéfinissable, insaisissable », qui sera réduit à une lettre, un pronom (« elle », « lui »), éclaté en identités multiples, comme chez Beckett, ou bien, le plus souvent, pris en charge par « un "je" anonyme, qui est tout et qui n'est rien, et qui n'est le plus souvent qu'un reflet de l'auteur lui-même » (« L'ère du soupçon »). Dans ce même article, Sarraute place d'emblée son lecteur au cœur de cette conscience :

> [Les] personnages secondaires [...] sont privés de toute existence autonome et ne sont que des excroissances, que des modalités, expériences ou rêves de ce « je » auquel l'auteur s'identifie.

Alain Robbe-Grillet rappelle, dans *Pour un nouveau roman,* que « les objets [...] n'ont jamais de présence en dehors des perceptions humaines, réelles ou imaginaires », même s'il affirme par ailleurs — ce qui peut expliquer la froideur et la distance qui semblent prévaloir dans ses romans — que « décrire les choses, en effet, c'est délibérément se placer à l'extérieur, en face de celles-ci. Il ne s'agit plus de se les approprier, ni de rien reporter sur elles ». Dès lors, assumer la subjectivité de l'écriture romanesque — Flaubert disait déjà « la Bovary, c'est moi » —, ainsi que la complexité, la discontinuité du sujet (Freud a montré dès le début du

XXᵉ siècle les strates de la conscience et leurs conflits) semble l'unique moyen de briser la suspicion qui s'est installée entre le lecteur et l'auteur.

Ce regard subjectif est avant tout attentif à ce qui, jusque-là, passait inaperçu : pour Nathalie Sarraute, les « tropismes », sentiments infimes et fugitifs, pour Robbe-Grillet et Ricardou, les détails jugés insignifiants, ou encore, pour Michel Butor, le « murmure des choses » (*Conversation et sous-conversation*) :

> À force de n'examiner autour de lui que des espaces minuscules, de fixer longtemps un seul point, [les yeux de l'écrivain] sont devenus comme des lentilles grossissantes.

Ainsi, contre toute attente, surgit le dessein d'un nouveau réalisme, qui ne consiste pas à rendre compte du réel à la manière du miroir de Stendhal — dont le reflet semble désormais illusoire — mais à en explorer comme au microscope des aspects inédits.

4.

La réalité a-t-elle un sens ?

Deuxième transgression : celle de la narration classique où les actions s'enchaînent dans un rapport de cause à effet. « Assez vite […] j'ai été frappé par l'opposition, l'incompatibilité même, qu'il y a entre la discontinuité du monde perçu et la continuité de l'écriture », déclare Claude Simon, tandis qu'Alain Robbe-Grillet écrit :

> Les significations du monde, autour de nous, ne sont plus que partielles, provisoires, contradictoires même, et toujours contestées. Comment l'œuvre d'art pour-

rait-elle prétendre illustrer une signification connue
d'avance quelle qu'elle soit?

Une fois encore, il s'agit pour les «nouveaux romanciers» de combattre un leurre, celui de l'unité et de la
rationalité du réel. C'est pourquoi leurs romans tour-
neront résolument le dos à toute logique (psychologique, factuelle ou temporelle) qui ne soit pas interne
au roman lui-même, quitte à perdre le lecteur dans un
univers où il n'a plus aucun repère. Dans *L'Acacia*
(1989), Claude Simon crée un récit discontinu qui suit
les ramifications de l'arbre; dans *La Route des Flandres*
(1960), il s'attache à rendre le chaos de la débâcle, l'en-
chevêtrement des événements et des causalités, en
adoptant pour son récit le schéma d' «un trajet fait de
boucles qui dessinent un trèfle».

Composition musicale, picturale, géométrique, organique, la structure romanesque devient un champ d'expérimentations illimité. De ce fait, la chronologie vole
en éclats, ou devient si lâche qu'on la perd de vue : éti-
rée chez Sarraute, elle peut devenir répétitive ou sta-
tique chez Pinget (*Quelqu'un,* 1965), ou elliptique chez
Robbe-Grillet (*Le Voyeur,* 1955). Ainsi, nul confort pour
le lecteur : le temps semble souvent piétiner, l'espace
se transformer, la description elle-même, qui, autrefois,
permettait à l'imagination de s'attacher à des représentations concrètes en «faisa[nt] voir les choses»,
«semble maintenant les détruire, comme si son achar-
nement à discourir ne visait qu'à en brouiller les lignes,
à les rendre incompréhensibles, à les faire disparaître
totalement» (*Pour un nouveau roman*). Son attention
et son intelligence sont mises à contribution pour
déchiffrer ces univers énigmatiques, se diriger dans
ces œuvres mouvantes et insensées où l'histoire devient, selon le mot de Claude Ollier, «illisible». Le

roman est désormais moins « l'écriture d'une aventure que l'aventure d'une écriture », comme le résume Jean Ricardou : une aventure partagée par le lecteur et par l'auteur.

5.

Les tropismes

Pour Nathalie Sarraute, la libération formelle du roman, mais surtout la dispersion du personnage sont indispensables à l'exploration de ce gisement d'une « matière psychologique nouvelle » qu'elle a mis au jour dès 1939 avec son premier livre, *Tropismes*. Elle en donne une définition dans sa préface de *L'Ère du soupçon* :

> [...] des mouvements indéfinissables, qui glissent très rapidement aux limites de notre conscience ; ils sont à l'origine de nos gestes, de nos paroles, des sentiments que nous manifestons, que nous croyons éprouver et qu'il est possible de définir. Ils [...] constitu[ent] la source secrète de notre existence.

Elle n'a cessé depuis, dans ses romans puis ses pièces de théâtre, de dire ces tropismes qui sous-tendent nos actes les plus banals et les plus stéréotypés, nos conversations les plus conventionnelles, et de mettre en lumière ces micro-drames qui se nouent et se dénouent avant même que nous n'ayons eu le temps de nous les formuler. Comment capter ces phénomènes fugitifs ? Ainsi les décrit-elle dans « Conversation et sous-conversation » :

> Ils font penser à ces petites bêtes grises qui se cachent dans les trous humides. Ils sont honteux et prudents. Le moindre regard les fait fuir. Ils ont besoin pour s'épanouir d'anonymat et d'impunité.

Le roman, qu'elle définit comme étant, avant toute chose, le champ d'investigation du psychologique, dispose, pour les explorer, de deux atouts : le dialogue, par lequel se manifestent, déformés, détournés, aplanis, les affects psychologiques, et surtout l'analyse — qui s'élabore bien souvent dans des monologues intérieurs (*Le Planétarium,* publié en 1959, en est exclusivement constitué) — qui permettra d'exprimer « le magma sans contours et sans nom » des mouvements intérieurs. Dialogue et analyse — autrement dit conversation et sous-conversation —, deux éléments qui constituent la face et le revers de la psychologie humaine...

Plus tard, Nathalie Sarraute s'intéressera au théâtre qui, sous sa plume, deviendra celui des tropismes. Comme un gant retourné, la sous-conversation, mise en pleine lumière, accède alors au premier plan, celui du dialogue.

6.

Enfance :
pour une Nouvelle Autobiographie ?

Comment expliquer l'attrait de Nathalie Sarraute pour l'autobiographie, genre non seulement marqué par son historicité, mais surtout caractérisé par le fait qu'il métamorphose la personne de l'auteur en personnage littéraire ?

Deux questions se posent à l'écrivain dans le prologue d'*Enfance* : va-t-elle emprunter des ornières creusées par ses prédécesseurs, « la forme [...] que d'autres ont inventée et dont une force magnétique [...] empêche de jamais pouvoir s'arracher » (« Ce que voient les oiseaux ») et ainsi trahir ses principes ? Et pourra-t-elle faire revivre ce passé que la mémoire garde encore vivant ?

L'interrogation initiale de ce premier chapitre (« Alors, tu vas vraiment faire ça ? »), avec le pronom démonstratif à connotation péjorative et l'adverbe « vraiment » marquant l'incrédulité, témoigne d'emblée d'une prise de distance à l'égard des codes du genre. Avec humour, elle envisage même, comme explication de son désir d'écrire une autobiographie, une faiblesse liée à son grand âge, une sénilité qui émousserait son exigence de vérité : « est-ce que ce ne serait pas prendre ta retraite ? te ranger ? ». Cependant, il est intéressant de constater qu'à la même époque Alain Robbe-Grillet, avec *Le Miroir qui revient* (1985), et Marguerite Duras, avec *L'Amant* (1984), s'essaient eux aussi à l'autobiographie : de toute évidence, l'heure est au bilan.

La seconde crainte de Nathalie Sarraute, celle de ne restituer que du « tout cuit », est directement liée à la première, dans le droit fil de ses préoccupations néo-romanesques. D'ailleurs, si l'on met en regard *Enfance* et la profession de foi que constituait, vingt-sept ans plus tôt, *L'Ère du soupçon*, on ne peut qu'être frappé par la fidélité de l'auteur à ses idées. Loin de « quitter son élément », celui des tropismes, ces profondeurs où « tout fluctue, se transforme et s'échappe », l'entreprise autobiographique s'y arrime. Au mépris de l'âge, c'est même un nouveau défi que Nathalie Sarraute se propose de relever, surmontant cette « crainte [qui] revient chaque fois que quelque chose d'encore informe se propose... » : rechercher une forme personnelle qui parvienne à rendre cette réalité intérieure vivante qu'est le souvenir.

7.

Des personnages multiples

Sur la question du personnage, l'autobiographie apparaît comme un prolongement du Nouveau Roman, où déjà « l'écrivain, en toute honnêteté, parl[ait] de soi » (*L'Ère du soupçon*). Cette subjectivité de l'écriture est assumée sans aucune concession, quitte à donner une impression d'incohérence. Ainsi, le personnage de Véra varie au cours du livre, selon la perception que l'enfant a de sa belle-mère : jolie et enjouée, jaune et desséchée, fragile ou dure, faible ou héroïque. Alors que la narratrice évoque les petites injustices de Véra à son égard, un nouveau texte, court cette fois-ci, relate un geste généreux, un moment de complicité entre la belle-mère et l'enfant. Ces « revers », que l'on trouve à quelques reprises, jouent de l'effet de surprise, du retournement inattendu. Rien ne permettra donc de figer Véra dans le cliché de la « marâtre ». Déjà l'enfant se méfiait de cette image sortie tout droit des contes de fées. L'adulte se contente d'en donner une vision fugace, mêlée à d'autres représentations.

Quant au personnage principal, ce « je » qui semble donner corps à la notion tant contestée d'individu, Nathalie Sarraute brise ce qu'il pourrait avoir de lisse et de monolithique dès les premières lignes, au risque de décontenancer le lecteur. Si celui-ci s'attendait à lire le récit d'une vie, il se retrouve en réalité face à un dialogue qui se révèle être celui que l'auteur entretient avec lui-même. De ce fait, le « je », se combinant au « tu » et au « nous », à la fois féminin par son référent et masculin par les désinences (« oui, ça te rend grandiloquent. Je dirais même outrecuidant »), devient insaisissable. Insaisissable et multiple, car les oppositions internes que nous ont

révélées les tropismes et les jugements des autres inter-
disent désormais qu'on le juge «indivis» : Natacha est-
elle la même lorsqu'elle est Tachok ou Tachotchek, ou
Nathalie, la même lorsqu'elle est Tcherniak ou Sarraute ?
Est-elle l'enfant ingrate telle que la désigne sa mère ou
l'enfant frappée par le malheur comme la voit sa bonne ?
Les perceptions intérieures et les jugements extérieurs se
superposent, entrent en résonance, laissant au lecteur
l'espace d'un regard personnel.

Ainsi, Nathalie Sarraute installe son laboratoire de
prospection psychologique sur le terrain de sa propre
enfance. Pourquoi ? Simplement pour rendre vie aux
souvenirs «avant qu'ils disparaissent».

Pour prolonger la réflexion

Roger-Michel ALLEMAND, *Le Nouveau Roman*, Ellipses,
1996.

Alain ROBBE-GRILLET, *Pour un nouveau roman*,
Éditions de Minuit, 1963.

Nathalie SARRAUTE, *L'Ère du soupçon*, Gallimard, 1956.

Samuel BECKETT, *Molloy*, Éditions de Minuit, 1951.

— *En attendant Godot*, Éditions de Minuit, 1952.

Michel BUTOR, *La Modification*, Éditions de Minuit,
1957.

Marguerite DURAS, *Un barrage contre le Pacifique*, Gallimard, 1950.

— *Moderato Cantabile*, Éditions de Minuit, 1958.

— *L'Amant*, Éditions de Minuit, 1984.

Alain ROBBE-GRILLET, *Les Gommes*, Éditions de Minuit,
1953.

— *La Jalousie*, Éditions de Minuit, 1957.

Nathalie SARRAUTE, *Tropismes*, Denoël, 1939, Éditions de Minuit, 1957.

— *Portrait d'un inconnu*, Robert Marin, 1948 ; Gallimard, 1956.

— *Pour un oui, pour un non*, Gallimard, 1982.

Et aussi…

Vous pourrez retrouver facilement la photographie de Mario Dondero évoquée au début du chapitre en tapant le nom du photographe sous un moteur de recherche sur Internet.

Genre et registre

L'autobiographie

«ALORS, TU VAS vraiment faire ça ? "Évoquer tes souvenirs d'enfance"... » Ces mots convenus pour un genre convenu, placés entre guillemets, comme pris avec des pincettes, Nathalie Sarraute les répète, les soupèse. D'abord méfiante, elle n'en finit pas moins par les accepter, assumant ainsi le projet autobiographique qu'ils impliquent et acceptant de s'inscrire — tout en le renouvelant — dans un genre aussi traditionnel que le roman qui a assuré sa notoriété.

1.

Qu'est-ce qu'une autobiographie ?

1. *Brève histoire du genre*

L'origine de l'autobiographie est principalement religieuse. Saint Augustin (354-430), en écrivant au IVe siècle ses *Confessions*, récit des erreurs de sa vie de pécheur et de sa conversion à la foi chrétienne, marque non seulement l'histoire du christianisme, mais aussi celle de la littérature. En effet, la fréquentation, durant tout le Moyen Âge, de cette œuvre majeure, associée, à partir du XIIIᵉ siècle, à la pratique régulière de la confession devenue sacrement lors du quatrième concile de Latran, va donner naissance à la tradition chrétienne de l'examen de conscience. Aux XVIIᵉ et XVIIIᵉ siècles, ce type d'écrits se répand, le plus souvent sous la forme de récits mystiques relatant l'éclosion de la vocation religieuse et la quête spirituelle de leur auteur. Le roman, autre genre en expansion, ne tarde pas à lui emprunter sa forme (notamment son mode d'énonciation) et ses thèmes (l'apprentissage du monde et de soi), en les transposant sur le plan laïque, psychologique, voire charnel. Ainsi le roman picaresque, alors en vogue, se présente-t-il comme l'envers de ces récits édifiants, en contant à la première personne la vie de héros aventuriers, coureurs de jupons et souvent peu recommandables (*Gil Blas de Santillane* de Lesage, 1715-1735).

Mais c'est Jean-Jacques Rousseau (1712-1778) qui, avec *Les Confessions* (1782-1789), invente véritablement l'autobiographie au sens moderne du terme. Si le titre reprend celui de saint Augustin, si même l'incipit, dans la tradition de l'examen de conscience, désigne Dieu comme destinaire et juge de l'entreprise, la suite s'en distingue radicalement. Car ce n'est pas le récit d'une conversion qu'entreprend le philosophe, mais — selon l'injonction du temple de Delphes : « Connais-toi toi-même » — celui de la construction de sa propre personnalité au sein d'une société dont il révèle l'hypocrisie et l'influence néfaste sur l'enfant qu'il fut.

Dès la fin du XVIIIᵉ siècle, l'autobiographie s'épanouit en France et en Allemagne (où le terme naît vers 1830), avant de s'étendre à toute l'Europe. Avec le triomphe de la conception romantique de l'art, affranchi désormais des règles et de la visée morale que lui assignaient les classiques au profit de la libre expression individuelle, elle ne cessera de se développer, au point d'investir aujourd'hui, notamment en France, sous des formes diverses, la majeure partie du champ littéraire.

2. *La définition de Philippe Lejeune*

Philippe Lejeune, dans son ouvrage *L'Autobiographie en France* (1971), a été l'un des premiers à tenter de définir et de circonscrire le genre :

> Nous appelons autobiographie le récit rétrospectif en prose que quelqu'un fait de sa propre existence quand il met l'accent principal sur sa vie individuelle, en particulier sur l'histoire de sa personnalité.

Cette définition précise vise à dégager la spécificité de l'autobiographie par rapport au roman (il est « le récit [...] que quelqu'un fait de sa *propre* existence ») mais également en regard des autres formes d'écriture de soi : le journal intime n'est pas « rétrospectif », les Mémoires n'ont pas pour objet « la vie individuelle » de l'auteur mais plutôt les événements historiques dont il a été l'acteur ou le témoin, l'autoportrait est moins un récit qu'une image synthétique et la part d'analyse l'emporte sur la narration proprement dite, comme dans les *Essais* (1580-1595) de Michel de Montaigne (1533-1592).

Mais c'est la différence avec le roman qui demeure la plus problématique, car rien, dans la forme, ne permet de distinguer une fiction à la première personne d'une autobiographie au sens strict (d'où les genres flous et intermédiaires du « roman autobiographique » ou, plus récemment, de l'« autofiction »). Seul le paratexte (par exemple le nom de l'auteur sur la couverture) peut avérer la coïncidence entre l'auteur et le personnage-narrateur. Encore ce critère reste-t-il insuffisant : l'auteur peut se choisir un nom d'emprunt (Henry Brulard pour Henri

Beyle dont le pseudonyme d'écrivain est Stendhal!) ou, tout en gardant son nom, mêler fiction et réalité (comme Céline dans *Mort à crédit*). C'est pourquoi Philippe Lejeune établit comme trait distinctif la déclaration d'intention par laquelle l'auteur affirme que c'est bien le récit de sa propre vie qu'il entreprend sans rien inventer, déclaration qu'il nomme «pacte autobiographique».

2.

Enfance et le pacte autobiographique

1. *Les infractions au pacte*

À première vue, les termes du pacte autobiographique ne semblent guère respectés au début d'*Enfance*. On ne trouve dans le prologue aucune affirmation d'exhaustivité (même si l'auteur ne se souvient pas de tout, il pourrait au moins écrire tout ce dont il se souvient). Bien au contraire : seuls «les petits bouts de quelque chose d'encore vivant» auront droit de cité, ces paroles intactes que l'auteur n'a «jamais prononcées depuis» (p. 11), ces moments rares de l'enfance que l'habitude n'a pu ternir («Pas d'affadissement possible. Aucune accoutumance...», p. 30). Dans une interview accordée à Viviane Forrester en juin 1983 pour le *Magazine littéraire*, Nathalie Sarraute justifie ce parti pris :

> Le souvenir, lorsqu'il n'est pas repris dans le travail, est tellement grossier. J'ai sélectionné, comme pour tous mes autres livres, des instants dont je pourrais retrouver les sensations.

En outre, dès le deuxième chapitre, alors qu'elle analyse avec précision des sentiments de sa petite enfance, son double soulève une objection : « Des images, des mots qui évidemment ne pouvaient pas se former à cet âge-là dans ta tête… ». Objection aussitôt balayée (p. 15) :

> Bien sûr que non. Pas plus d'ailleurs qu'ils auraient pu se former dans la tête d'un adulte… C'était ressenti, comme toujours, hors des mots, globalement… Mais ces mots et ces images sont ce qui permet de saisir tant bien que mal, de retenir ces sensations.

L'écriture autobiographique de Nathalie Sarraute sera donc aussi une écriture de transposition, voire de transformation assumée. D'abord parce que les tropismes sont des sentiments et des sensations qui échappent au langage. Ils sont de l'ordre d'un ressenti fugace, incontrôlé, informulé, que l'écrivain tentera de traduire en mots et en images afin de les représenter (p. 90) :

> Tu n'as pas besoin de me répéter que je n'étais pas capable d'évoquer ces images… ce qui est certain, c'est qu'elles rendent exactement la sensation que me donnait mon pitoyable état.

Ensuite, parce que le souvenir est une perception intérieure, fondamentalement subjective. C'est ce qui justifie l'utilisation, inhabituelle dans l'autobiographie et systématique ici, d'un présent qui n'est pas un présent de narration (artifice destiné à rendre le récit vivant et agréable au lecteur), mais le temps réel du souvenir qui surgit au moment même de l'énonciation. Ainsi, à l'inverse de bon nombre d'autobiographies, le décalage entre le temps de la narration et celui de l'énonciation est effacé : il n'y a pas d'autre temps que celui de l'écriture.

2. *Sincérité et authenticité*

On le voit, le seul pacte passé entre le lecteur et l'auteur est celui, déjà affirmé haut et fort dans *L'Ère du soupçon*, de l'authenticité d'une démarche (et non d'un contenu), de la sincérité d'une recherche, qui consistent à traquer les sensations de l'enfance et non à les inventer. D'où, dans les premiers chapitres, les interventions du double qui permettent à la narratrice d'exprimer ses craintes (p. 18) :

> — Ne te fâche pas, mais ne crois-tu pas que là [...] tu n'as pas pu t'empêcher de placer un petit morceau de préfabriqué... c'est si tentant... tu as fait un joli petit raccord, tout à fait en accord...
> — Oui, je me suis peut-être un peu laissée aller...

Au chapitre suivant, c'est elle qui proteste lorsque son double tente de la prendre au piège, en lui réclamant des détails qu'elle a oubliés : « [...] ce n'est tout de même pas toi, qui vas me pousser à chercher à combler ce trou par un replâtrage » (p. 22). Les mots « préfabriqué » et « replâtrage » désignent avec dédain deux tentations auxquelles l'autobiographe doit résister. La première est celle du « tout cuit » — c'est-à-dire des stéréotypes —, tournée en dérision par l'évocation de sa rédaction « vous raconterez votre premier chagrin » dont le sujet invite au récit autobiographique. Nathalie Sarraute exprime avec humour sa prédilection d'alors pour les clichés (elle choisit d'inventer un chagrin qu'elle n'avait pas vécu, « un modèle de vrai premier chagrin de vrai enfant »), pour « les mots revêtus de leurs beaux vêtements », poétiques et figés, et pour le récit « parfait, tout lisse, et net et rond », goûts puérils et touchants chez l'enfant de onze ans, mais, de fait, facilités impardonnables chez l'adulte. La seconde tentation, celle du « replâtrage », pousse à reconstituer ce que la mémoire n'a pas conservé, au nom de la vraisemblance et de la cohérence, préoccupations que les « nouveaux romanciers », dans leur ensemble, ont rejetées et dont Nathalie Sarraute refuse de s'embarrasser. D'où l'absence notable, par exemple, du récit de sa naissance, qui ne pourrait qu'être de seconde main.

3. *Une vision intérieure*

Ainsi, même si on a bien affaire, conformément à la définition de Philippe Lejeune, à un récit rétrospectif, la chronologie d'*Enfance* n'est pas celle, linéaire, des autobiographies traditionnelles. Non qu'il n'y en ait aucune. Les principaux mouvements du livre correspondent bien aux grandes étapes de l'enfance : la première, jusqu'à huit ans, chez sa mère, en France, puis en Russie, avec les grandes vacances passées avec le père (les vingt-cinq premiers chapitres) ; la seconde, à Paris, chez le père, jusqu'à l'entrée de Natacha au lycée (attention : en sixième !), elle-même divisée en deux périodes situées de part et d'autre de l'entrée à l'école communale. Mais mis à part ces cycles, les chapitres — parfois subdivisés à leur tour en séquences, ou tableaux — ne semblent obéir à aucune véritable articulation chronologique. Ni dates ni repères temporels, seuls quelques indices, comme la taille de l'enfant ou ses capacités nouvelles (« Je suis assez grande maintenant pour… »)… Les souvenirs sont donnés dans le désordre (ou serait-ce l'ordre de leur surgissement ?). La logique de leur succession semble plutôt relever de l'association d'idées, parfois lointaine (quel peut être le lien entre la mort de l'oncle Iacha, opposant au tsar, et l'épisode du vol de bonbons ? sans doute la notion vague de hors-la loi…).

Nous pénétrons ainsi au cœur d'un univers intérieur qui a sa temporalité et sa subjectivité propres.

3.

Le choix des registres

Bien que Nathalie Sarraute ne se soucie ni de l'exhaustivité ni du réalisme, son autobiographie ne révèle donc pas moins une exigence de vérité, une volonté de se tenir au plus près de ce qui fut ressenti et a perduré dans le souvenir. Sa méfiance à l'égard des clichés n'est pas sans rappeler la distinction rousseauiste entre « se peindre » et « se farder ». Or, cette tentation du romanesque, l'auteur la tient sans cesse à distance en l'identifiant à deux registres littéraires : le pathétique et, à un degré moindre, le lyrique.

1. *Refus du pathos et de la solennité*

Il y a dans *Enfance* une recherche de la neutralité à un double titre : comme œuvre du Nouveau Roman qui rejette les ficelles du roman traditionnel, mais aussi comme autobiographie qui, au nom de la sincérité, lutte contre la dérive romanesque. L'absence du registre pathétique, même dans la relation de moments extrêmement douloureux pour Natacha (la séparation d'avec la mère, puis celle d'avec la mère de Véra), et le dénigrement d'un certain lyrisme conventionnel — auquel elle se laisse tout de même parfois aller, comme dans l'évocation de ses vacances chez l'oncle Gricha — ne relèvent pas uniquement d'une défiance vis-à-vis des émotions « préfabriquées », complaisantes, voire racoleuses. Il s'agit, une fois encore, par souci d'authenticité et de réalisme, de se tenir au plus près des sentiments de l'enfant et de sa perception du monde.

La méfiance envers le pathos et la solennité provient de l'éducation que Natacha a reçue de son père : refus des « grands mots » par pudeur (« tu m'aimes » ne peut être employé « autrement que pour rire »), refus du mensonge (comme celui du calomel). À l'inverse, la petite Natacha pâtit très tôt des fables maternelles (l'opération des amygdales), et plus tard, elle comprend que les cartes postales de sa mère, avec leurs jolies descriptions et leurs déclarations d'amour, n'expriment aucun sentiment sincère et ne sont que littérature. Entre les deux camps, son choix s'impose : elle préférera celui des sentiments profonds et cachés à celui des sentiments grandiloquents mais superficiels. Elle apprend aussi à secouer le joug des déclarations sentencieuses et stigmatisantes prononcées par les adultes (« un enfant qui aime sa mère trouve que personne n'est plus beau qu'elle », « demain nous allons nous séparer, il n'y a pas tant de quoi s'amuser »), en refusant de porter le poids terrible des mots de sa bonne (« Quel malheur quand même de ne pas avoir de mère », p. 109) et de se laisser enfermer dans une vision tragique de l'existence.

2. *Le fantastique et le comique*

Cette condamnation du pathétique ne frappe pas tous les registres. Les frayeurs de l'enfant causées par un tableau accroché dans sa chambre (« une peur comme je ne me rappelle pas en avoir connue depuis, se glisse vers moi, s'infiltre… ») sont rapportées sur le mode fantastique, admis parce qu'il rend compte des cauchemars, des angoisses de l'enfant. On peut d'ailleurs remarquer à cette occasion que le rejet du romanesque n'inclut ni la littérature enfantine, ni le conte — à la condition qu'ils évitent les clichés — là encore en vertu du réalisme, pour la simple raison qu'ils participent à l'imaginaire de l'enfant et influent sur sa vision du monde. C'est ainsi que la narratrice se laisse aller à la description — si proche de Tolstoï — de la merveilleuse maison de l'oncle Gricha ou de celle du père à Ivanovo, ou encore de la maison de glace de Saint-Pétersbourg, demeures de rêve, nimbées de lumière, étincelantes sous la neige. Ce sont en effet de « beaux souvenirs d'enfance », d'une « beauté si conforme aux modèles » (p. 29), mais capables de laisser une marque profonde dans la mémoire enfantine façonnée par les récits merveilleux.

Le second registre admis est le comique, que l'on voit surgir ici ou là, comme l'expression du caractère facétieux de l'enfant, qui aime à jouer de la réticence du père à dire « je t'aime », ou de son accent, ou qui s'amuse à imiter ses proches pour faire rire Micha et Mme Agafonoff. Ici encore, les registres sont moins l'expression des sentiments du narrateur que d'une vérité de l'enfance.

4.

L'histoire d'une personnalité

1. *Un récit d'apprentissage*

En s'affranchissant du *fatum* — la fatalité — des jugements arbitraires des adultes (comme la terrible sentence de la bonne), Natacha devient Nathalie, l'excellente élève qui ne doit ses bonnes notes et les compliments de ses institutrices qu'à son travail et à son application — critères objectifs et quantifiables. L'auteur retrace ainsi le parcours de l'enfant depuis sa sujétion au regard des adultes, conventionnel et simpliste, jusqu'à l'indépendance gagnée au prix d'«ablations» douloureuses mais salutaires. En retraçant les étapes de la constitution de sa personnalité, Nathalie Sarraute retrouve donc l'un des aspects essentiels de la définition de Lejeune. Mais l'histoire de cette personnalité est aussi celle d'un écrivain même s'il serait excessif de parler de récit de vocation, tant l'idée même de devenir écrivain relève, pour l'enfant Nathalie Tcherniak, de l'*hubris*, c'est-à-dire d'un «dépasse[ment] des limites qui [lui] sont assignées», ou de la recherche d'une gloire vaniteuse («la gloriole», p. 192). Néanmoins, nous sommes bien en présence de l'histoire d'une formation intellectuelle.

La fascination pour les mots mensongers de la mère et son sens du romanesque (elle écrivait des romans de cape et d'épée et des contes pour enfants) conduisent Natacha, avant l'âge de huit ans, à affronter la difficile expérience de l'écriture d'un premier roman. Après le jugement sarcastique de l'ami, suit une période salutaire de latence où l'enfant, dégagée du sortilège des mots, peut enfin, grâce à son père, mesurer leur capacité d'illusion mais aussi faire l'apprentissage scolaire de l'écriture (elle réapprend non seulement la maîtrise perdue de la graphie, mais aussi l'orthographe, suivant en cela le conseil de l' «oncle»), et s'adonner à la lecture (*Rocambole* est l'une de ses rencontres marquantes). Enfin, advient l'âge des rédactions, où Nathalie éprouve l'ivresse d'une écriture qui se conforme à la norme du «bien écrire» prescrite par les textes du corpus scolaire. Désormais, elle maîtrise les mots et les codes romanesques. On imagine aisément la suite, la difficile émancipation de la norme, mais celle-ci, s'opérant à l'âge adulte, est une autre histoire.

2. *Une théorie de l'enfance*

Derrière cet itinéraire se profile une conception personnelle de l'enfance qui n'est pas sans rappeler le dessein philosophique que Rousseau assignait à l'autobiographie : «Je veux montrer à mes semblables un homme dans toute la vérité de la nature» (*Les Confessions*). Le titre même, *Enfance,* en se passant de déterminant, suggère la dimension théorique du texte.

L'enfance y apparaît tout d'abord comme un âge non sexué. Nathalie Sarraute choisit toujours le mot neutre d'«enfant» plutôt que celui de «fille» ou de «fillette». Ces dénominations apparaissent de manière significative dans la scène de la récitation, où l'enfant singe ce que les adultes attendent d'elle : «une imitation de l'innocence». Être «fille» relève donc ici aussi d'un rôle qu'on demande à l'enfant de jouer et dont «le manteau de velours blanc», qui la fait ressembler à une «vraie poupée» (p. 50), est l'un des costumes.

L'enfant est à la merci des paroles des adultes, et sa sensibilité, qui n'est pas encore émoussée, ou refoulée, réagit parfois violemment à cette pression. Il n'est pas anodin que le premier souvenir évoqué soit celui où Natacha déchire la soie du fauteuil où elle est assise. Nathalie Sarraute place son récit dans la résonance de ce récit liminaire montrant la rébellion de l'enfant qui se dresse contre la volonté inébranlable de sa gouvernante, dont les mots répétés — « *Nein, das tust du nicht* » — n'expriment rien d'autre qu'une autorité sans faille. Les tropismes sont donc des réactions à ces mots d'adultes dont la «force de percussion» se mesure à leur prégnance dans la mémoire. On pourrait aller jusqu'à schématiser le processus : ce qui forme une personnalité, ce sont ces mots, leur répercussion sur l'enfant, mais aussi la capacité de ce dernier à les dominer.

Nathalie Sarraute conteste donc le stéréotype de l'enfance insouciante, aveugle et niaise. Elle est bien sûr, comme souvent, mue par son exigence de vérité, mais l'enjeu est autrement crucial, car l'enfant qui se découvre en inadéquation avec ces clichés qu'il tient pour vrais (comme lorsque Natacha a ses « idées ») se considère comme fou ou monstrueux, menaçant de basculer dans la détestation de soi.

C'est donc bien une fois de plus un continent vierge qu'explore Nathalie Sarraute. Univers à part, régi par ses propres lois mais aussi creuset où se forgent la conscience et la personnalité du futur adulte, l'enfance, enfouie sous les limbes de l'oubli, déformée par la vision réductrice des adultes, recèle des vérités insoupçonnées que l'écrivain, selon les principes du Nouveau Roman, se doit de mettre au jour. C'est ainsi, à travers cette archéologie personnelle, que Nathalie Sarraute touche à l'universel.

Sur Nathalie Sarraute

Simone BENMUSSA, *Entretiens avec Nathalie Sarraute*, La Renaissance du livre, 2002.
Monique GOSSELIN, *Nathalie Sarraute, « Enfance »*, Gallimard, coll. Foliothèque, 1996.

Sur l'autobiographie

Philippe LEJEUNE, *L'autobiographie en France*, Armand Colin, coll. U2, 1971.
— *Le pacte autobiographique*, Seuil, coll. Poétiques, 1975.

L'écrivain
à sa table de travail
À la recherche de l'écriture

DANS SES ENTRETIENS, Nathalie Sarraute décrit son écriture comme à la fois laborieuse et spontanée : dans un premier temps, les brouillons s'accumulent, « travail préliminaire infini, parce que tout est écrasé par des lieux communs, les sensations toutes faites qui viennent tout aplatir » ; ensuite, lorsque « la sensation s'épure au point qu'elle arrive à trouver son propre langage, alors là [elle] écrit à tout allure » (Simone Benmussa, *Entretiens avec Nathalie Sarraute*). Sa démarche s'apparente à un processus de décantation : à partir de matériaux psychologiques inexplorés, l'auteur opère un long travail de mise en mots qui, lorsqu'il parvient à appréhender une part de vérité, peut alors ressembler à de l'inspiration. Ce travail de recherche, Nathalie Sarraute a commencé à le mener bien avant *Enfance*, et il est intéressant de constater que, pour sortir des ornières du récit d'enfance conventionnel, elle recourt à des techniques élaborées et rodées par la pratique du roman et du théâtre.

1.

Une œuvre à la croisée des genres

1. *L'autobiographie et le roman : une méthode commune*

Comme dans ses romans, Nathalie Sarraute met en œuvre dans *Enfance* le jeu de la conversation et de la sous-conversation, de la parole proférée et de tous les affects sous-jacents. Celui-ci révèle l'impact des paroles d'adultes sur l'enfant et les sentiments multiples qu'elles suscitent. Le récit est pris dans ce filet analytique : soit il suscite le commentaire, comme l'épisode de l'extase au jardin du Luxembourg, soit il vient le justifier (l'épisode du poteau électrique), soit encore les deux s'entremêlent jusqu'à devenir indissociables (chapitre 1 : « *ich werde es zerreissen* »). L'entreprise, toujours mouvante, toujours recommencée, de formulation des tropismes se traduit par la multiplication des explications et des hypothèses (pourquoi Véra a-t-elle bien pu dire à Natacha que cette maison n'était pas la sienne ? Quelle est la cause de la maladie du père après la mort de son premier enfant ?) ou par des réécritures. La restitution du soulagement éprouvé par l'enfant après que l'« oncle » eut dénigré son premier roman offre un exemple éloquent : d'abord le sentiment est résumé par une formule-choc (« une ablation, mais douloureuse, mais bienfaisante ») qui est aussitôt jugée trop distanciée ; alors l'auteur s'efforce, dans un second temps, d'exprimer le plus fidèlement possible les impressions et les contradictions intimes de l'enfant. Cherchant à rendre les subtilités de ce sentiment de délivrance, Nathalie Sarraute est alors amenée à développer ce qui fut ressenti sur le moment de manière fugace, fugacité qu'avait tenté de traduire, dans un premier temps, le mot « ablation ». D'où un étirement du temps, qui est celui de l'analyse, et qui soudain dilate la temporalité du récit. Ce procédé, caractéristique de son écriture, Nathalie Sarraute l'a souvent comparé aux ralentis du cinéma, qui permettent de décomposer les mouvements pour mieux les observer.

2. *Un dispositif théâtral*

C'est en grande partie le dialogue qui permet ce travail de restitution du souvenir, et un dialogue théâtral, comme l'attestent, dès l'incipit, l'économie de tout préambule narratif, la succession des tirets signalant les prises de parole, l'absence d'incises et le parfait enchaînement des répliques. D'ailleurs, le plus souvent, celles-ci commencent par un mot exprimant un jugement sur ce qui vient d'être dit : « oui », « non », « peut-être ». Parfois, un chapitre s'ouvre sur un passage narratif non précédé d'un tiret ; mais arrive invariablement le moment où la seconde voix intervient, rappelant que le dialogue n'a jamais été interrompu.

Qui parle ? Le lecteur ne tarde pas à comprendre que ces deux voix sont celles de Nathalie Sarraute. Si l'une, d'emblée, prend en charge la narration, la seconde semble moins facile à identifier : tour à tour, elle joue le rôle de « surmoi » veillant à ce que le récit ne retombe pas dans les sentiers battus, ou de démon tentateur qui cherche à piéger la sincérité de la narratrice (ne serait-ce pas le même *demovon*, ce diablotin qui insufflait à la petite Natacha les mauvaises « idées » ?), ou encore d'interlocuteur grâce auquel le souvenir peut resurgir et la mise en mots des sentiments s'élaborer pas à pas. Bref, la seconde voix provoque sans cesse des ruptures dans le récit afin de lui conserver cette vibration, ces discordances qui l'empêchent d'être « parfait, tout lisse, et net, et rond ». Projeté au cœur de ce dialogue interne, le lecteur ne semble pas désigné comme le destinataire du discours. Il se trouve placé aux premières loges du travail de l'écrivain. Témoin de l'élucidation de ses souvenirs, il est moins appelé à prendre parti — même si l'on est sans cesse tenté d'interpréter ce qui est donné à voir et à entendre — qu'à rechercher dans les profondeurs de ses propres souvenirs les échos de ces tropismes d'enfance.

2.

Une œuvre poétique

1. *Se souvenir : une démarche poétique*

On l'a vu : la chasse incessante aux stéréotypes interdit qu'on assimile la vision sarrautienne à celle d'une poésie plus ou moins conventionnelle de l'enfance. Le thème n'en reste pas moins matière à poésie.

Nathalie Sarraute décrit ces premières années de l'existence comme enveloppées, protégées par « une couche protectrice qui les conserve », « épaisseurs blanchâtres, molles, ouatées … », image paradoxale d'une enfance qui à la fois nous échappe, enfouie sous ces brumes, et, grâce à elles, reste préservée. Se souvenir apparaît alors comme un acte poétique consistant à faire surgir puis à traduire en mots ces « quelques mouvements qui […] semblent encore intacts, assez forts pour se dégager de cette couche protectrice » (p. 247), émergence d'images isolées qui parfois entretiennent entre elles des liens profonds et inattendus : un mot, « poussière », que Natacha veut faire avaler à sa mère, croyant que c'est ainsi qu'on fait les enfants, « poussière » de la route qui les mène chez l'oncle Gricha ; un lieu : le jardin du Luxembourg ; une sensation : l'odeur asphyxiante de vinaigre qui se dégage de la bonne, celle du produit anesthésiant administré pour l'opération des amygdales ; une idée : à la loyauté de Natacha qui cherche à masquer sa répulsion pour sa bonne s'oppose, au chapitre suivant, le mensonge maternel vécu comme une trahison ; un personnage : la mère, le père, ou Véra. Ces libres associations — procédé dont les surréalistes ont montré la fécondité poétique — semblent confirmées par les manuscrits : Monique Gosselin, qui a pu les voir du vivant de Nathalie Sarraute, s'étonne du fait que l'écrivain n'ait jamais retravaillé l'ordre des chapitres. Comme si elle avait voulu préserver le surgissement, le processus organique du souvenir, la force de suggestion de l'image extraite de la « ouate » de l'enfance. Cette esthétique fragmentaire, dont le résultat est proche du poème en prose, annonce également, à certains égards, le parti pris poétique du *Je me souviens* de Georges Perec (1936-1982).

2. *Une affaire de langage*

Comme en poésie, le langage est à la fois l'origine et la fin de ce travail de mémoire.

Tout d'abord, l'enfance est l'âge de l'apprentissage des mots, de leur pouvoir d'évocation, de rêve et d'illusion. On voit l'auteur tenter de se remémorer une formule magique (« des incantations faites de syllabes barbares et drôles ») ou Natacha se délecter de la beauté des mots « soleil » et *solntze* (en russe) qu'elle répète sans se lasser.

Les mots sont aussi à l'origine des tropismes, le point d'ancrage de la mémoire. Ce qui surgit en premier et paraît indélébile, ce ne sont pas les images, mais ces phrases courtes, incisives, lourdes d'implications, qui ont ébranlé l'enfant, et se sont « enfoncées » en elle, parfois au détriment d'autres souvenirs, balayés sur leur passage (« ce moment-là, tellement violent, a pris d'emblée le dessus sur tous les autres, lui seul est resté », p. 51). « *Nein, das tust du nicht* », « Femme et mari sont un même parti », « *Tiebia podbrossili* »… ces phrases singulières, dont Nathalie Sarraute fait ressentir au lecteur le caractère minéral et clos en les restituant dans leur langue d'origine, sont en réalité des « paquets » à ouvrir (p. 88), renfermant tout un monde intérieur d'affects.

C'est là qu'intervient le travail de l'adulte, et singulièrement celui de l'écrivain, avec la formulation hésitante, tâtonnante, de ce monde enfoui. Les jeux d'assonances et d'allitérations, les variations lexicales, les effets de rythme et d'anaphore l'apparentent à une véritable recherche poétique. Le moment d'extase au jardin du Luxembourg, où pour la première fois Natacha ressent une fusion avec le monde qui l'entoure, illustre avec éloquence ce travail de restitution de l'ineffable, pour lequel l'auteur expérimente les possibilités de l'écriture poétique. En raison de la difficulté à définir par un terme unique le sentiment éprouvé, l'écrivain explore les mots qui lui viennent à l'esprit (p.60) :

> [...] « bonheur », qui se présente le premier, non, pas lui… « félicité », « exaltation », sont trop laids, qu'ils n'y touchent pas… et « extase »… comme devant ce mot ce qui est là se rétracte… « Joie », oui peut-être… ce petit mot modeste, tout simple, peut effleurer sans grand danger…

Enfin, survient le débordement des phrases qui, par leur mouvement impétueux et leur lyrisme assumé, viennent exprimer ce qui fut éprouvé lors de cet instant rare :

> [...] je suis dans cela, dans le petit mur rose, dans les
> fleurs des espaliers, des arbres, la pelouse, l'air qui
> vibre... je suis en eux sans rien de plus, rien qui ne soit
> à eux, rien à moi.

Dans ses entretiens avec Simone Benmussa, Nathalie
Sarraute revendique la part poétique de son œuvre :

> Toute la poésie est fondée là-dessus, sur ce qu'on
> ressent.
> [...] J'aime travailler l'écriture. J'ai toujours aimé ça
> [...]. Pour que cette écriture respire et vive, il faut qu'il
> y ait quelque chose de spontané, d'inconnu, de vibrant
> qui essaye de trouver des mots. Ce ne sont pas des mots
> tout prêts. C'est cette recherche des mots qui m'inté-
> resse, de l'écriture [...].

3.

Une écriture en devenir

Il est rare qu'un livre donne à ce point l'impression
qu'il est en train de se faire — ou parfois de se
défaire — sous nos yeux. Le prologue à deux voix plon-
geait déjà le lecteur au cœur du processus d'écriture, le
mettant face aux atermoiements de l'auteur qui hésitait
à franchir le pas du récit d'enfance. Mais bien vite, on
s'aperçoit qu'il ne s'agissait pas seulement d'une entrée
en matière originale. Le lecteur sera bien, pour ainsi
dire à chaque instant, le témoin du travail de l'écriture.

1. *Une écriture suspendue*

Les points de suspension sont la marque stylistique
de Nathalie Sarraute. Dès son deuxième roman, *Portrait
d'un inconnu*, ils font leur apparition, donnant à la page

cette typographie si particulière. L'auteur a souvent dit de cette ponctuation qu'elle avait été une découverte essentielle. Elle brise le carcan de la syntaxe, introduit l'inachevé, l'aléatoire, l'hésitation au sein même de l'énoncé. Une étude précise de son utilisation montre qu'elle peut remplir des fonctions extrêmement variées : étirement du temps pour permettre au lecteur d'assister à une action presque en temps réel (p. 136) :

> J'observe chacun de ses gestes... je voudrais bien essayer... et elle me laisse prendre comme elle une pincée de tabac, la triturer, l'étaler sur chaque moitié du tube de métal ouvert, le refermer... et puis sortir de la boîte une cigarette vide... y introduire le bout du tube, pousser...

Ou temps de la réflexion (p. 52) :

> Je ne sais plus comment je l'ai rejoint... quelqu'un a dû me déposer à son hôtel ou bien à un endroit convenu... il est hors de question qu'il soit venu me chercher rue Flatters... je ne les ai jamais vus, je ne peux pas les imaginer se rencontrant, lui et ma mère...

Temps du surgissement du souvenir aussi, qui revient lambeaux par lambeaux (p. 137) :

> [...] il me regarde... ses yeux ressemblent beaucoup à ceux de papa, mais ils sont moins perçants, plus doux...

Ou encore point d'orgue qui permet de s'arrêter sur un mot, sur une phrase dont le sens a besoin de silence pour se déployer (p. 92) :

> [...] ma séparation d'avec ma mère, qui a mis fin brutalement à ce qui en se développant risquait de devenir une véritable folie...

Ainsi, les points de suspension introduisent le temps et le silence au sein de l'écriture. Parfois ils disparaissent, lorsque l'auteur semble ne rapporter que des faits, ou poser le cadre du souvenir. Mais dès l'instant qu'elle pénètre dans les profondeurs de la mémoire, dans les méandres des tropismes, ils réapparaissent. Ils sont la marque concrète du temps de l'écriture : l'écrivain réfléchit, doute, ou reste en suspens sous le coup d'une émotion (« Mon père [...] me serre dans ses bras plus fort qu'il ne m'avait jamais serrée, même autrefois... »), temps aussi de la lecture qui permet au lecteur de suivre le fil de ces pensées, de méditer les phrases, de peser les mots. Cette ponctuation a aussi une incidence sur la musicalité des phrases. Elle les empêche de se poser, de se clore, les maintenant en suspens, sur la ligne mélodique ascendante, toujours fragile, de ceux qui réfléchissent à voix haute, comme si le point était de l'ordre de la certitude, du péremptoire.

2. *La quête d'une précision impossible*

Nathalie Sarraute l'a dit et répété : les tropismes sont des sensations, des impressions qui existent en deçà du langage. Les mots peuvent certes tenter de les cerner, ils ne peuvent s'y substituer. Cette volonté de dire l'indicible se traduit par deux procédés dominants et complémentaires — le jeu de la synonymie et la désignation par l'indéfini —, qui constituent une approche progressive de la vérité du souvenir (p. 155).

> Quelque chose s'élève encore, toujours aussi réel, une masse immense... l'impossibilité de me dégager de ce qui me tient si fort, je m'y suis encastrée, cela me redresse, me soutient, me durcit, me fait prendre forme... Cela me donne chaque jour la sensation de grimper à un point culminant de moi-même, où l'air

> est pur, vivifiant… un sommet d'où si je parviens à
> l'atteindre, à m'y maintenir je verrai s'étendre devant
> moi le monde entier.

Comme dans cet extrait, qui tente de définir ce que l'école représentait pour Nathalie, les indéfinis abondent dans *Enfance*, mots peu caractérisés, assez flous pour permettre de désigner des sentiments à la fois forts et vagues. Ces indéfinis, l'auteur tente de leur donner un contenu par des métaphores de mouvement, de consistance, d'agencement car, pour Sarraute, le sentiment, avant d'être une idée, est une sensation physique, une présence concrète dont la force échappe au contrôle de la conscience.

De même, il est rare dans *Enfance* qu'un mot — qu'il soit substantif, adjectif ou verbe — soit livré seul. Il est toujours redoublé ou remplacé par des synonymes qui le suivent de près : « pur » cède la place à « vivifiant » au contenu sémantique plus précis, tandis que « redresse, soutient, et durcit » apportent chacun à la sensation, par petites touches, les nuances de leurs connotations complémentaires.

Il s'agit ainsi par tous les moyens d'empêcher que l'écriture ne « fige » les impressions et ne se fasse cliché. Pour cela, Nathalie Sarraute s'efforce de lui rendre ce qu'elle a de vivant au moment où elle advient afin de « vivre et de […] faire revivre au lecteur dans le présent », « ces groupes composés de sensations, d'images, de sentiments, de souvenirs » (*L'Ère du soupçon*).

En ce sens, *Enfance* constitue véritablement un sommet dans l'œuvre de Nathalie Sarraute : aboutissement d'une recherche littéraire toute personnelle, renouvellement d'un genre convenu et entreprise poétique.

Groupement de textes

La transgression

ENFANCE SE PLACE d'emblée sous le sceau de la transgression, avec un premier chapitre hétéroclite, composé d'un dialogue interne où l'auteur s'interroge sur le bien-fondé de son entreprise autobiographique, et d'un premier souvenir — dont rien n'indique qu'il soit le plus ancien — qui narre un acte éminemment transgessif de l'enfant : dans un hôtel suisse, malgré les intimations de sa gouvernante, la petite fille déchire à l'aide de ciseaux le tissu du fauteuil sur lequel elle est assise. Le choix de cet épisode liminaire comme première « plongée » dans le passé et le fait qu'il soit associé à la décision d'écrire cette autobiographie ne constituent pas un acte anodin.

En effet, le prologue, de même que ce premier souvenir, affirme l'écart par rapport à la norme : norme du récit d'enfance, genre désigné ironiquement par l'auteur comme une manie d'écrivain retraité, mais aussi norme intérieure qui serait la crainte de « quitter [son] élément », c'est-à-dire de s'éloigner du type d'investigation psychologique qu'elle mène depuis ses premiers romans. Dans les deux parties de ce premier chapitre, se joue donc un acte de rébellion contre des injonctions, qu'il s'agisse de celles de la gouvernante, intraitable (« *Nein, das tust du nicht* »), ou de celles de sa conscience qui tente de la mettre en garde ; à chaque fois, Nathalie Sarraute choisit de « franchir le pas, sauter hors de ce monde décent, habité, tiède et doux » pour s'« en arracher, tomber, choir dans l'inhabité, le vide ». Aussi, l'acte transgressif de la petite Natacha peut être lu comme une métaphore de l'acte d'écrire : refus de la norme, refus du confort et de la facilité, refus d'obtempérer aux injonctions même si elles semblent raisonnables, refus de s'en tenir aux belles apparences d'une « soie à ramages, d'un bleu un peu fané, aux reflets satinés », quitte à se retrouver face à une réalité inédite, informe et inquiétante : « je regarde ce qui sort : quelque chose de mou, de grisâtre s'échappe par la fente ».

Est-ce à dire qu'*Enfance* fasse le portrait d'un enfant rebelle ? Loin s'en faut : Nathalie Sarraute nous montre une enfant subissant les désirs contradictoires des adultes, s'acclimatant à des atmosphères familiales parfois hostiles, s'évertuant à réussir à l'école, à se faire aimer de ses institutrices et de ses amis. Son projet n'est pas de se peindre hors norme, mais de montrer la situation de l'enfant, être doué de raison qui, pris dans les contradictions du discours normatif et moralisateur des adultes et la réalité, en vient immanquablement, un jour, à douter des apparences ou des discours (ainsi naissent les « idées » : maman n'est pas si belle, ou elle n'est pas généreuse). Et cette remise en cause de l'autorité, qui le met en porte à faux avec ceux qu'il aime et idéalise, lui semble un crime. D'ailleurs, Natacha (ou Nathalie ?) ne veut pas pousser la transgression aussi loin qu'elle le pourrait. Elle ne s'avoue jamais clairement ce qu'elle entrevoit par instants, comme lors de sa maladie chez l'oncle Gricha ou lors de sa séparation d'avec sa mère, à Berlin : que celle-ci ne l'aime pas autant qu'il le faudrait. De même, il y a étrangement, dans ces récits, peu de mentions de rancœurs vis-à-vis de ses parents, ou de jalousie à l'égard de leurs conjoints. Ne faudrait-il pas y voir la volonté — consciente ou inconsciente — de préserver une image de soi innocente, sans taches ?

Les scènes de transgression ne sont pas rares dans les récits d'enfance. Phénomène propre à la psychologie enfantine, celle-ci relève avant tout de l'apprentissage des règles sociales. C'est là que se joue d'une manière paroxystique la relation entre l'enfant, être en devenir qui cherche à affirmer sa personnalité, réaliser ses pulsions ou à expérimenter sa liberté, et une société qui lui imprime ses conventions, ses valeurs et ses limites. Ces scènes sont souvent des souvenirs vifs, gravés dans la mémoire de l'écrivain en raison de leur caractère exceptionnel, de leur forte charge émotionnelle, mais aussi, parce que le narrateur y voit souvent une étape importante de sa formation, le moment où il a pris conscience de son individualité au contact d'une réalité contraignante. C'est ainsi que la transgression devient la préfiguration de la posture de l'écrivain, qui au mépris de la norme et des usages, ose porter un regard neuf sur le monde et affirmer sa singularité par son écriture inédite, tout en légitimant, par sa complicité avec le lecteur, cette société dont il utilise la langue et dont il attend en retour qu'elle lui accorde sa reconnaissance.

STENDHAL (1783-1842)

Vie de Henry Brulard (1835-1836)

(Folio classique n°447)

Stendhal écrit la Vie de Henry Brulard *entre 1835 et 1836, mais ne le publie pas de son vivant : le texte sera édité pour la première fois en 1890. Même si l'état du manuscrit*

est très avancé, il n'en demeure pas moins inachevé. L'une
des originalités de cette autobiographie, qui plus que tout
autre mêle récit et discours, temps de l'enfance et présent de
l'énonciation, tient aux nombreux dessins que Stendhal joint
à son texte. Ces croquis permettent de suppléer aux descrip-
tions et de fixer d'un coup de crayon le souvenir. L'enfance
de Stendhal pourrait être une illustration de la théorie freu-
dienne du complexe d'Œdipe. Le petit Henri Beyle aimait sa
mère d'un amour passionné et presque charnel, abhorrant son
père qui «venait interrompre [leurs] baisers». Cette mère
meurt en couches lorsque l'enfant a sept ans. Celui-ci nour-
rira dès lors un terrible ressentiment pour son père, qu'il ren-
dra responsable de cette mort. Dans cet extrait, au lendemain
du décès, Henry se rend auprès de son père. Stendhal, d'une
écriture incisive, s'attache à renverser les lieux communs du
deuil — en tant que moment de communion familiale sous
les auspices de la douleur —, poussant la transgression jus-
qu'au blasphème.

Marie Thomasset, de Vinay, vrai type de caractère dau-
phinois, appelée du diminutif Marion, passa la nuit
assise à côté de mon matelas, pleurant à chaudes
larmes et chargée apparemment de me contenir.
J'étais beaucoup plus étonné que désespéré, je ne
comprenais pas la mort, j'y croyais peu.
«Quoi! disais-je à Marion, je ne la reverrai jamais?
— Comment veux-tu la revoir, si on l'emportera au
cimetière?
— Et où est-il, le cimetière?
— Rue des Mûriers, c'est celui de la paroisse
Notre-Dame.»
Tout le dialogue de cette nuit m'est encore présent, et
il ne tiendrait qu'à moi de le transcrire ici. Là vérita-
blement a commencé ma vie morale, je devais avoir six
ans et demi. Au reste ces dates sont faciles à vérifier
par les actes de l'état civil.
Je m'endormis, le lendemain à mon réveil Marion me
dit :
«Il faut aller embrasser ton père.

— Comment, ma petite maman est morte ! mais comment est-ce que je ne la reverrai plus ?

— Veux-tu bien te taire, ton père t'entend, il est là dans le lit de la grand'tante. »

J'allai avec répugnance dans la ruelle de ce lit qui était obscure parce que les rideaux étaient fermés. J'avais de l'éloignement pour mon père et de la répugnance à l'embrasser.

Un instant après arriva l'abbé Rey, un homme fort grand, très froid, mangé de petite vérole, l'air sans esprit et bon, parlant du nez, qui bientôt après fut grand Vicaire. C'était un ami de la famille.

Le croira-t-on ? À cause de son état de prêtre j'avais de l'antipathie pour lui.

M. l'abbé Rey se plaça près de la fenêtre, mon père se leva, passa sa robe de chambre, sortit de l'alcôve fermée par des rideaux de serge verte. Il y avait deux beaux rideaux de taffetas rose, brochés de blanc, qui le jour cachaient les autres.

L'abbé Rey embrassa mon père en silence, je trouvai mon père bien laid, il avait les yeux gonflés et les larmes le gagnaient à tous moments. J'étais resté dans l'alcôve obscure et je voyais fort bien.

« Mon ami, ceci vient de Dieu », dit enfin l'abbé; et ce mot, dit par un homme que je haïssais à un autre que je n'aimais guère, me fit réfléchir profondément.

On me croira insensible, je n'étais encore qu'étonné de la mort de ma mère. Je ne comprenais pas ce mot. Oserai-je écrire ce que Marion m'a souvent répété depuis en forme de reproche ? Je me mis à dire du mal de *God*.

George SAND (1804-1876)

Histoire de ma vie (1854-1855)

(Gallimard, coll. Quarto)

*En 1847, George Sand a quarante-trois ans lorsqu'elle entreprend son autobiographie sous le simple titre d'*Histoire de ma vie. *Si la conteuse ne pouvait qu'être tentée par la narration d'une vie riche en événements, elle savait aussi que sa réputation sulfureuse ferait du livre un coup éditorial. Durant sept ans, mais avec une interruption, elle va s'atteler à cette autobiographie fleuve, la première autobiographie moderne écrite par une femme. Commençant son récit bien avant sa naissance par l'histoire de ses ancêtres et de ses parents, elle joint des lettres, des documents divers, s'accorde des digressions philosophiques, politiques, anecdotiques, qui le font déborder des limites du genre, créant une œuvre polymorphe et polyphonique.* Histoire de ma vie, *au fil du texte, se soucie moins de vérité ou d'authenticité que d'offrir à son auteur une tribune qui lui permette d'écrire, de réfléchir, de méditer à partir du canevas de son existence et de comprendre la construction de son identité. Le texte suivant s'attache à deux moments forts : le récit de la naissance et l'autoportrait. Le ton désinvolte, perceptible dès la première phrase, ébauche le pacte autobiographique. En effet, cette liberté du ton, reflétant la liberté atavique de son auteur —son père n'avait-il pas déjà « marché sur les préjugés de sa famille » ? —, se donne comme gage de vérité. Et c'est au nom de cette liberté que George Sand critique l'éducation conformiste qui échoua à faire d'elle une parfaite jeune fille du monde.*

Le 5 juillet 1804 je vins au monde, mon père jouant violon et ma mère ayant une jolie robe rose. Ce fut l'affaire d'un instant. J'eus du moins cette part de bonheur que me prédisait ma tante Lucie de ne point faire souffrir longtemps ma mère. Je vins au monde fille légitime, ce qui aurait fort bien pu ne pas arriver si mon père n'avait pas résolument marché sur les préjugés de sa famille, et cela fut un bonheur aussi, car sans cela ma grand-mère ne se fût peut-être pas occupée de moi avec autant d'amour qu'elle le fit plus tard, et j'eusse été privée d'un petit fond d'idées et de connaissances qui a fait ma consolation dans les ennuis de ma vie.

J'étais fortement constituée, et, durant toute mon

enfance, j'annonçais devoir être fort belle, promesse que je n'ai point tenue. Il y eut peut-être de ma faute, car à l'âge où la beauté fleurit, je passais déjà les nuits à lire et à écrire. Étant fille de deux êtres d'une beauté parfaite, j'aurais dû ne pas dégénérer, et ma pauvre mère, qui estimait la beauté plus que tout, m'en faisait souvent de naïfs reproches. Pour moi, je ne pus jamais m'astreindre à soigner ma personne. Autant j'aime l'extrême propreté, autant les recherches de la mollesse m'ont toujours paru insupportables.

Se priver de travail pour avoir l'œil frais, ne pas courir au soleil quand ce bon soleil de Dieu vous attire irrésistiblement, ne point marcher dans de bons gros sabots de peur de se déformer le cou-de-pied, porter des gants, c'est-à-dire renoncer à l'adresse et à la force de ses mains, se condamner à une éternelle gaucherie, à une éternelle débilité, ne jamais se fatiguer quand tout nous commande de ne point nous épargner, vivre enfin sous une cloche pour n'être ni hâlée, ni gercée, ni flétrie avant l'âge, voilà ce qu'il me fut toujours impossible d'observer. Ma grand-mère renchérissait encore sur les réprimandes de ma mère, et le chapitre des chapeaux et des gants fit le désespoir de mon enfance; mais, quoique je ne fusse pas volontairement rebelle, la contrainte ne put m'atteindre. Je n'eus qu'un instant de fraîcheur et jamais de beauté. Mes traits étaient cependant assez bien formés, mais je ne songeai jamais à leur donner la moindre expression. L'habitude contractée, presque dès le berceau, d'une rêverie dont il me serait impossible de me rendre compte à moi-même, me donna de bonne heure l'air bête. Je dis le mot tout net, parce que toute ma vie, dans l'enfance, au couvent, dans l'intimité de la famille, on me l'a dit de même, et qu'il faut bien que cela soit vrai.

Jean-Paul SARTRE (1905-1980)

Les Mots (1964)

(Folio n°607)

Lorsqu'en 1964 Jean-Paul Sartre écrit Les Mots, *son projet est de revenir aux sources de sa vocation d'écrivain. L'enfance de cet orphelin de père, ayant grandi à l'ombre de la figure tutélaire du grand-père et d'une mère discrète et soumise, se caractérise par sa prompte adhésion aux désirs des adultes. Sartre rejoint Sarraute sur ce point : le monde adulte assigne à l'enfant rôle, mais, si Nathalie ne s'y plie qu'à contrecœur, le petit Jean-Paul, lui, s'y trouve tout à son aise. La comédie familiale du bonheur à laquelle il participe, comme son personnage d'enfant précoce, le rassurent et le protègent ; il n'a de cesse d'accomplir ce qu'on attend de lui afin de récolter le prix de son zèle. Dans ce passage, on le voit pris dans la tenaille de son allégeance aux valeurs familiales et d'un désir irrépressible de transgression. L'auteur y réalise la prouesse d'explorer les sentiments, les dilemmes de l'enfant, tout en portant sur son personnage factice et les valeurs de son milieu un regard ironique et sans concession.*

J'avais deux raisons de respecter mon instituteur : il me voulait du bien, il avait l'haleine forte. Les grandes personnes doivent être laides, ridées, incommodes ; quand elles me prenaient dans leurs bras, il ne me déplaisait pas d'avoir un léger dégoût à surmonter : c'était la preuve que la vertu n'était pas facile. Il y avait des joies simples, triviales : courir, sauter, manger des gâteaux, embrasser la peau douce et parfumée de ma mère; mais j'attachais plus de prix aux plaisirs studieux et mêlés que j'éprouvais dans la compagnie des hommes mûrs : la répulsion qu'ils m'inspiraient faisait partie de leur prestige : je confondais le dégoût avec l'esprit de sérieux. J'étais snob. Quand M. Barrault se penchait sur moi, son souffle m'infligeait des gênes exquises, je respirais avec zèle l'odeur ingrate de ses vertus. Un jour, je découvris une inscription toute fraîche sur le mur de l'école, je m'approchai et lus : « Le père Barrault est un con. » Mon cœur battit à se rompre, la stupeur me cloua sur place, j'avais peur. « Con », ça ne pouvait être qu'un de ces « vilains mots » qui grouillaient dans les bas-fonds du vocabulaire et qu'un enfant bien élevé ne rencontre jamais ; court et brutal, il avait l'horrible simplicité des bêtes élémentaires. C'était déjà trop de l'avoir lu : je m'interdis de le prononcer, fût-ce à voix basse. Ce cafard accroché à la muraille, je ne voulais pas qu'il me sautât dans la bouche pour se métamorphoser au fond de ma gorge en un claironnement noir. Si je faisais semblant de ne pas l'avoir remarqué, peut-être rentrerait-il dans un trou de mur. Mais, quand je détournais mon regard, c'était pour retrouver l'appellation infâme : « le père Barrault », qui m'épouvantait plus encore : le mot « con », après tout, je ne faisais qu'en augurer le sens ; mais je savais très bien qui on appelait « père Untel » dans ma famille : les jardiniers, les facteurs, le père de la bonne, bref les vieux pauvres. Quelqu'un voyait M. Barrault, l'instituteur, le collègue de mon grand-père, sous l'aspect d'un vieux pauvre. Quelque part, dans une tête, rôdait cette pensée malade et criminelle. Dans quelle tête ? Dans la mienne, peut-être. Ne suffisait-il pas d'avoir lu l'inscription blasphématoire pour être complice d'un sacrilège ? Il me semblait à la fois qu'un fou cruel raillait ma politesse, mon respect, mon zèle, le plaisir que j'avais chaque matin à ôter ma casquette en disant « Bonjour, Monsieur l'Instituteur » et que j'étais moi-même ce fou, que les vilains mots et les vilaines pensées pullulaient dans mon cœur. Qu'est-ce qui m'empêchait, par exemple de crier à plein gosier : « Ce vieux sagouin pue comme un cochon. » Je murmurai : « Le père Barrault pue » et tout se mit à tourner : je m'enfuis en pleurant. Dès le lendemain je retrouvai ma déférence pour M. Barrault, pour son col de celluloïd et son nœud papillon. Mais, quand il s'inclinait sur mon cahier, je détournais la tête en retenant mon souffle.

Marguerite DURAS (1914-1996)

L'Amant (1984)

(Éditions de Minuit)

En 1950, dans son roman Un barrage contre le Pacifique, *Marguerite Duras avait déjà évoqué, de manière très
détournée, sa première relation amoureuse, en Indochine, avec
un Chinois fortuné. Elle revient en 1984 sur cet épisode char-
nière de son existence, avec* L'Amant, *récit cette fois autobiographique, puis encore une dernière fois en 1991 avec*
L'Amant de la Chine du Nord. *Dans cet extrait, Duras se
livre à l'exercice de l'autoportrait, peinture d'autant plus déci-
sive qu'elle semble contenir les prémices de sa destinée à venir.
L'accoutrement de cette adolescente de quinze ans et demi
exprime le paradoxe qui fonde l'originalité de l'écriture duras-
sienne : ici, la sensualité n'est pas qu'une affaire de corps,
elle est aussi affaire d'esprit, de même que la créativité littéraire n'est pas purement intellectuelle mais puise sa sève dans
le désir. En s'attardant sur ce moment d'éveil à la sexualité
et d'éveil à l'écriture, en montrant leur concomitance, Duras
bouleverse les tabous et les préjugés tout comme la jeune fille
de quinze ans qu'elle était transgressait les codes et la morale
de la société confinée des colonies.*

Je porte une robe de soie naturelle, elle est usée,
presque transparente. Avant, elle a été une robe de ma
mère, un jour elle ne l'a plus mise parce qu'elle la trouvait trop claire, elle me l'a donnée. Cette robe est sans
manches, très décolletée. Elle est de ce bistre que
prend la soie naturelle à l'usage. C'est une robe dont
je me souviens. Je trouve qu'elle me va bien. J'ai mis
une ceinture de cuir à la taille, peut-être une ceinture
de mes frères. Je ne me souviens pas des chaussures
que je portais ces années-là mais seulement de certaines robes. La plupart du temps je suis pieds nus en
sandales de toile. Je parle du temps qui a précédé le
collège de Saigon. À partir de là bien sûr j'ai toujours

mis des chaussures. Ce jour-là je dois porter cette fameuse paire de talons hauts en lamé or. Je ne vois rien d'autre que je pourrais porter ce jour-là, alors je les porte. Soldes soldés que ma mère m'a achetés. Je porte ces lamés or pour aller au lycée, je vais au lycée en chaussures du soir ornées de petits motifs en strass. C'est ma volonté. Je ne me supporte qu'avec cette paire de chaussures-là et encore maintenant je me veux comme ça, ces talons hauts sont les premiers de ma vie, ils sont beaux, ils ont éclipsé toutes les chaussures qui les ont précédés, celles pour courir et jouer, plates, de toile blanche.

Ce ne sont pas les chaussures qui font ce qu'il y a d'insolite, d'inouï, ce jour-là, dans la tenue de la petite. Ce qu'il y a ce jour-là c'est que la petite porte sur la tête un chapeau d'homme aux bords plats, un feutre souple couleur bois de rose au large ruban noir.
L'ambiguïté déterminante de l'image, elle est dans ce chapeau.
Comment il était arrivé jusqu'à moi, je l'ai oublié. Je ne vois pas qui me l'aurait donné. Je crois que c'est ma mère qui me l'a acheté et sur ma demande. Seule certitude, c'était un solde soldé. Comment expliquer cet achat? Aucune femme, aucune jeune fille ne porte de feutre d'homme dans cette colonie à cette époque-là. Aucune femme indigène non plus. Voilà ce qui a dû arriver, c'est que j'ai essayé ce feutre, pour rire, comme ça, que je me suis regardée dans le miroir du marchand et que j'ai vu : sous le chapeau d'homme, la minceur ingrate de la forme, ce défaut de l'enfance, est devenue autre chose. Elle a cessé d'être une donnée brutale, fatale, de la nature. Elle est devenue, tout à l'opposé, un choix contrariant de celle-ci, un choix de l'esprit. Soudain, voilà qu'on l'a voulue. Soudain je me vois comme une autre, comme une autre serait vue, au-dehors, mise à la disposition de tous, mise à la disposition de tous les regards, mise dans la circulation des villes, des routes, du désir. Je prends le chapeau,

je ne m'en sépare plus, j'ai ça, ce chapeau qui me fait tout entière à lui seul, je ne le quitte plus. Pour les chaussures, ça a dû être un peu pareil, mais après le chapeau. Ils contredisent le chapeau, comme le chapeau contredit le corps chétif, donc ils sont bons pour moi. Je ne les quitte plus non plus, je vais partout avec ces chaussures, ce chapeau, dehors, par tous les temps, dans toutes les occasions, je vais dans la ville.

Chronologie

Nathalie Sarraute
et son temps

LA VIE DE Nathalie Sarraute peut nous sembler simple
et rangée. Elle vécut soixante ans avec le même homme,
Raymond Sarraute, eut trois filles qu'elle aima, exerça
le métier d'avocate, écrivit ses livres dans les cafés
comme bien des écrivains de sa génération. Son
enfance, qui est certainement la période la plus originale de sa vie, partagée entre son père et sa mère,
la France et la Russie, semble presque anodine au
XXIe siècle : nombre d'enfants vivent aujourd'hui entre
deux maisons, deux familles, deux cultures... Son
œuvre même a semblé renforcer cette impression de
banalité tant les personnages y sont communs et les
situations ordinaires. Pourtant, ayant traversé le siècle,
elle a vécu le Front populaire, les deux conflits mon-
diaux, la guerre froide, les guerres d'Indochine et
d'Algérie, les événements de mai 68... Ses origines russe
et juive auraient pu justifier de sa part une attention
toute particulière à ces événements : il n'en est rien.
Nathalie Sarraute a même pu dire à son amie Simone
Benmussa : « Les grandes tragédies, les guerres, je ne les
ai pas connues », quitte à nuancer ensuite cette asser-
tion surprenante : « je les ai vécues, mais d'une manière
qui n'est pas intéressante pour ce que j'écris, parce que
j'avais fort à faire pour montrer que sous l'anodin, sous

le visible, quelque chose se passe ». L'écrivain semble avoir estimé que l'Histoire n'était pas du domaine de la littérature. Il faut néanmoins se méfier des apparences lisses : être l'enfant d'un couple divorcé n'avait rien de confortable dans la société bourgeoise du début du xxᵉ siècle. Il n'était pas simple non plus d'être étudiante, puis avocate, à une époque où bien peu de filles accédaient au baccalauréat. Il était hautement périlleux d'être juive sous le régime de Vichy. Et il n'allait nullement de soi d'être un auteur à part entière dans le milieu littéraire des années d'après-guerre, largement dominé par les hommes.

1.

Une enfance écartelée

Nathalie Tcherniak est née le 18 juillet 1900 à Ivanovo, en Russie, dans une famille aisée, cultivée et polyglotte (ses parents parlent couramment le français). Sa mère était Pauline Chatounovski, romancière issue d'une famille de la haute bourgeoisie intellectuelle juive (l'un des frères de Pauline était un grand mathématicien. Son autre frère, Gregori, dit Gricha, était avocat). Pauline, très introduite dans le milieu littéraire pétersbourgeois, publiait ses romans de cape et d'épée sous un pseudonyme masculin. Le père de Nathalie, Israël Tcherniak, dit Ilya, était chimiste. Il renonça à la recherche après son mariage avec Pauline pour travailler dans l'industrie textile, à Ivanovo. Comme il était juif, il lui fallut une dérogation pour pouvoir s'installer dans cette ville, dérogation qu'il obtint pour avoir inventé un produit permettant d'empêcher la décoloration des tissus. En 1897, naquit une première fille —celle que Nathalie appellera sa « vraie sœur » — qui mourut de la scarlatine en 1899.

Dès 1902, le couple se sépare. Nathalie vit alors avec sa mère et son beau-père, Kolia, à Paris, rue Flatters. Elle fréquente l'école maternelle de la rue des Feuillantines et passe ses vacances d'été avec son père, à Ivanovo ou en Suisse. En 1906, Pauline et Kolia retournent en Russie pour s'installer à Saint-Pétersbourg, mais, dès l'année suivante, c'est au tour du père de quitter la Russie pour la France : ses démarches pour sauver son jeune frère Iacha (Jacob), impliqué dans un groupuscule révolutionnaire, l'ont conduit à la disgrâce. À Paris, il épouse Véra, de dix-sept ans sa cadette, qui l'a suivi en exil. De leur union naît en 1909 Lili (Hélène), puis, en 1917, Jacques. Les Tcherniak fréquentent le milieu des émigrés russes, Ilya se liant même d'amitié avec Léon Trotski.

C'est donc en France que Nathalie passe désormais ses vacances d'été. Mais, en février 1909, Pauline précipite le départ de sa fille à Paris, pour pouvoir suivre son mari en mission à Budapest. Nathalie vit alors chez son père, rue Marguerin, près du parc Montsouris. À la rentrée, comme sa mère ne semble pas vouloir la récupérer, elle suit une remise à niveau dans un cours privé — le cours Brébant — avant d'entrer à l'école communale rue d'Alésia ; elle s'installe alors définitivement chez son père. Dans cette famille où le père est accaparé par son travail (il a créé sa propre entreprise de teintures), la belle-mère peu aimante, la petite sœur difficile, Nathalie se réfugie dans les joies du travail scolaire et de la lecture. Elle apprend l'anglais avec les jeunes nurses de sa sœur. Pendant toute une année, en 1910, la mère de Véra, venue à Paris, l'entoure de son affection. En 1912, Nathalie obtient son certificat d'études et entre au lycée Fénelon où elle se passionne pour la littérature et le latin. Elle obtient son baccalauréat en 1918 à Montpellier, son père l'ayant éloignée des bombardements de la Grande Guerre. Pendant toutes ces années, elle ne reçoit que deux visites de sa mère : l'une de trois jours en 1911, une seconde plus longue pendant l'été 1914, écourtée cependant par l'annonce de la guerre qui pousse Pauline à regagner la Russie précipitamment. Après la guerre, en 1920, Pauline et Kolia viendront s'installer à Paris.

1903	Tchekhov, *La cerisaie.*
1913	Proust, *Du côté de chez Swann.*
1914	Début de la Première Guerre mondiale.
1915	Théorie de la relativité d'Einstein.
1917	Révolution russe. Chute du tsar Nicolas II.
1918	Fin de la Première Guerre mondiale.

2.
Construction d'une harmonie familiale menacée par la guerre

Après cette enfance ballottée au gré des événements historiques et familiaux, les années d'études semblent plus joyeuses, témoignant de la curiosité de Nathalie Tcherniak et de son goût pour les voyages : licence d'anglais à Paris en 1920, études d'histoire à Oxford en 1921, études d'histoire et de sociologie à Berlin en 1921-1922, puis retour à Paris en 1922 pour trois années de droit. Durant cette période, elle découvre les œuvres de Thomas Mann et de Marcel Proust qui lui ouvrent de nouveaux horizons littéraires.

À la faculté de droit, elle rencontre Raymond Sarraute, né en 1902 dans une famille d'intellectuels de gauche (le père de Raymond était lié à Jaurès, sa mère connaissait Rosa Luxemburg et Lénine). Il est passionné d'art et partage avec Nathalie son goût pour la littérature. Ils se marient en 1925 après avoir passé leur licence en droit et s'inscrivent au barreau. En 1927 naît Claude, leur fille aînée, en 1930 Anne et en 1933 Dominique.

Dès 1932, Nathalie Sarraute se consacre à la littérature. En 1939, son premier recueil *Tropismes* (terminé en 1937) trouve enfin un éditeur : ce sera Robert Denoël. Jean-Paul Sartre, Max Jacob et Charles Mauron saluent cette parution qui reste confidentielle.

La même année, Raymond est mobilisé. Nathalie éloigne ses enfants à la campagne, mais refuse de fuir avec son père et Véra en Suisse. Un décret paraît exigeant la radiation du barreau des avocats nés de parents juifs et mariés à une juive : Raymond, dont la mère était juive, décide en accord avec sa femme de divorcer. Ils se remarieront en 1956. En 1942, le port de l'étoile jaune est rendu obligatoire. Nathalie Sarraute se déclare au commissariat mais décide de ne pas porter l'étoile. Désormais, elle fuit de cache en cache, toujours dans la région parisienne, avec ses deux plus jeunes filles. Elle héberge même un temps Samuel Beckett, dénoncé à la Gestapo pour ses actes de résistance. Raymond, de retour à Paris, garde l'aînée qui est lycéenne. En relation avec la Résistance, il obtient des faux papiers pour sa femme. En 1943, à Parmain où elle a trouvé refuge, Nathalie Sarraute écrit *Portrait d'un inconnu*.

1921   Luigi Pirandello, *Six personnages en quête d'auteur*.
1922   James Joyce, *Ulysse*.
1925   Virginia Woolf, *Mrs Dalloway*.
1926   Parution posthume du *Château* de Franz Kafka.

1929	William Faulkner, *Le Bruit et la fureur.*
1933	Hitler accède au pouvoir en Allemagne.
1936	En France, gouvernement du Front populaire.
1938	Jean-Paul Sartre, *La Nausée.*
1939	Début de la Seconde Guerre mondiale.
1942	Albert Camus, *L'Étranger.*
1944	Libération de Paris.
1945	Fin de la Seconde Guerre mondiale.

3.

Le Nouveau Roman : l'âge du succès

Après la Libération, Nathalie Sarraute retrouve Jean-Paul Sartre qui, jusqu'en 1953, sera son principal soutien littéraire : il lui conseille des lectures (Kafka et Faulkner), l'aide à publier en 1948 *Portrait d'un inconnu* qu'il préface, et lui ouvre les pages de sa revue, *Les Temps modernes*. Sarraute y fait paraître des articles où elle expose ses idées sur la littérature et le début de son roman *Martereau* publié en 1953 chez Gallimard. En 1947, elle est gravement atteinte de la tuberculose. Après un temps de rémission, elle rechute en 1957 ; ses jours sont comptés. Elle ne doit alors la guérison qu'à la mise au point d'un nouveau traitement.

L'année 1956 marque la rupture avec Sartre et *Les Temps modernes,* qui désormais arborent la bannière de la littérature engagée. Le décryptage sarrautien des mouvements subtils de la conscience n'y trouve plus sa place. Elle publie alors chez Gallimard son recueil *L'Ère du soupçon,* qui reprend certains articles parus dans *Les Temps modernes* et d'autres, plus récents, refusés par Sartre et publiés par *La Nouvelle Revue française*. Le livre fait événement. L'année suivante, *Tropismes* est repris par les Éditions de Minuit, et rencontre le succès qu'il n'avait pas su trouver en 1939. Mais surtout, désormais, on associe Nathalie Sarraute au mouvement littéraire qu'Émile Henriot a baptisé rageusement « Nouveau Roman », et dont elle devient l'une des figures les plus emblématiques.

Dès lors, les parutions se suivent aux éditions Gallimard : en 1959 *Le Planétarium*, en 1963 *Les Fruits d'or* qui, traduit dans de nombreuses langues dont le russe, obtient l'année suivante le prestigieux Prix international de littérature. En 1968, c'est *Entre la vie et la mort*, en 1972 *Vous les entendez ?*, en 1976 *« disent les imbéciles »*, en 1980 *L'Usage de la parole*, en 1983 *Enfance*, en 1989 *Tu ne t'aime pas*, en 1995 *Ici* et en 1997, son dernier livre, *Ouvrez*.

Les années 1960 sont donc pour Nathalie Sarraute un tournant : elle est désormais un écrivain internationalement reconnu, invitée à prononcer des conférences ou à participer à des colloques dans les universités du monde entier. Pendant toute sa vie, elle se prêtera volontiers à ces déplacements qui lui permettent de voyager et d'échanger avec son public favori, celui des étudiants. En revanche, en dépit de l'air du temps propice aux engagements politiques, elle s'abstient de toute prise de position, si ce n'est contre la guerre d'Algérie puisqu'elle signe en 1960 le *Manifeste des 121* aux côtés de Sartre, Butor, Duras, Robbe-Grillet, Claude Simon...

Ces années sont aussi cruciales pour sa création littéraire. Nathalie Sarraute commence à écrire des pièces de théâtre : en 1960 *Le Silence*, en 1966 *Le Mensonge*, en 1970 *Isma*, en 1972 *C'est beau*, en 1978 *Elle est là*, et enfin en 1982 *Pour un oui, pour un non*, qui connut un grand succès — il sera même adapté au cinéma par Jacques Doillon. Ces pièces qui, pour la plupart, n'étaient d'abord destinées qu'à la radio, donneront lieu à une collaboration stimulante avec des metteurs en scène de premier plan tels que Jean-Louis Barrault, Claude Régy, Simone Benmussa ou Jacques Lassalle. En 1986, le Festival d'Avignon fait honneur au théâtre de Nathalie Sarraute en produisant plusieurs mises en scène de ses pièces.

En 1985, Nathalie perd son mari, Raymond, dont l'écoute attentive et critique avait beaucoup compté dans l'élaboration de son œuvre. Elle s'éteint en 1999. En 1996, elle avait éprouvé la fierté rare de voir ses œuvres paraître de son vivant dans la prestigieuse Bibliothèque de la Pléiade.

1948	Le droit de vote est accordé aux femmes.
1953	Mort de Staline. Samuel Beckett, *En attendant Godot*.
1954	Début de la guerre d'Algérie.
1955	Alain Robbe-Grillet, *Le Voyeur*.
1958	Début de la Ve République.
1959	Alain Resnais, Marguerite Duras, *Hiroshima mon amour*.
1962	Indépendance de l'Algérie.
1965	Jean-Luc Godard, *Pierrot le Fou*.
1968	Événements du mois de mai. Mouvement de contestation estudiantine puis ouvrière.
1984	Marguerite Duras, *L'Amant*.

Éléments pour une fiche de lecture

Regarder l'illustration

- Si le lapis-lazuli est un minéral qui permet d'obtenir, une fois broyé, un pigment bleu, et la malachite, un pigment vert, quels sont les matériaux naturels (végétaux ou minéraux) qui permettent d'obtenir de la couleur?
- À qui doit-on la réalisation du jardin du Luxembourg au XVIIe siècle?
- Citez d'autres artistes qui ont travaillé à l'aquarelle.
- Dans l'œuvre de Nathalie Sarraute, quel passage auriez-vous envie de traduire en peinture si vous étiez peintre?

La structure de l'œuvre

- Relevez les éléments qui permettent de situer chronologiquement les événements rapportés par Nathalie Sarraute.
- Tentez de trouver entre chaque chapitre, chaque souvenir, le lien explicite ou implicite : association d'idées, démonstration, etc.
- Certains motifs reviennent fréquemment : la ouate, les objets tranchants (ciseaux, coupe-papier), la

beauté, la folie, l'ablation, etc. Relevez les passages qui les concernent et mettez-les en regard. Quelle réalité, quelles idées se cachent sous ces mots clés ?

• Faites le relevé des lieux, mettez-les en rapport avec les périodes de l'enfance de Nathalie Sarraute, et indiquez l'atmosphère et le type de souvenirs qui s'y rattachent.

Une autobiographie

• Comparez l'incipit et l'excipit. Quel est le pacte de lecture formulé par l'auteur ? S'y tient-elle tout au long de son livre ?

• Soyez attentif aux interventions du double. Classez-les selon leur fonction.

• Quels sont les passages où se pose la question de la vérité du souvenir ? Comment l'auteur contourne-t-il cet écueil ?

• Quelle image de Nathalie se construit au fil de ce texte ? L'auteur échappe-t-il à la tentation de donner une image positive de lui-même ?

Les personnages

• Rédigez une fiche sur chacun des personnages principaux : la mère, le père, Véra. Faites des relevés précis. Les images sont-elles toujours cohérentes ? Pourquoi ? Quelle est la part d'objectivité et de subjectivité dans ces portraits esquissés au fil du texte ?

• Quels sont les personnages secondaires ? Présentez-les, classez-les. Justifiez pour chacun d'eux la raison pour laquelle ils sont des personnages de second plan et demandez-vous à chaque fois ce que cela révèle de la perception du monde de la petite Nathalie.

Des souvenirs d'enfance

- Quels sont les moments de bonheur ? Qu'est-ce qui les justifie ? Comment l'auteur les exprime-t-il (registres, procédés, etc.) ? Vous ferez la même étude pour les moments de tristesse.
- Parmi les thèmes suivants choisissez-en deux pour lesquels vous ferez un relevé et une analyse précise : les livres, l'école, les maisons, la nature, les objets, les jouets, les jeux, la maladie, le spectacle, le merveilleux.

L'impact des mots : les tropismes.

- Relevez les phrases, les formules qui ont laissé leur empreinte dans la mémoire de Nathalie. Qu'ont-elles en commun ? Que suscitent-elles chez l'enfant ? Notez les phrases qui expriment le plus fortement ces sentiments et analysez-les.
- Dans quelle mesure le titre de l'essai de Nathalie Sarraute *L'Ère du soupçon* pourrait-il s'appliquer à la période des « idées » ? Que représentent et que signifient ces « idées » ? Comment et pourquoi l'enfant parvient-elle plus tard à les surmonter ?

Sujets de réflexion

- Nathalie Sarraute parvient-elle à écrire une autobiographie qui échappe au « préfabriqué », au « tout cuit », c'est-à-dire aux stéréotypes ?
- Nathalie Sarraute considère-t-elle, comme Rousseau, que l'enfance est l'âge de la pureté, de l'innocence en proie aux vices de la société ?
- *Enfance* est-il une autobiographie de la confession ?

- Authenticité, vraisemblance, vérité : comment ces termes s'inscrivent-ils dans la démarche autobiographique de Nathalie Sarraute ?

Collège

Fabliaux (textes choisis) (37)
CHRÉTIEN DE TROYES, *Le Chevalier au Lion* (2)
COLETTE, *Dialogues de bêtes* (36)
CORNEILLE, *Le Cid* (13)
Gustave FLAUBERT, *Trois Contes* (6)
HOMÈRE, *Odyssée* (18)
Victor HUGO, *Claude Gueux* suivi de *La Chute* (15)
Joseph KESSEL, *Le Lion* (30)
Jean de LA FONTAINE, *Fables* (34)
Gaston LEROUX, *Le Mystère de la chambre jaune* (4)
MOLIÈRE, *Le Médecin malgré lui* (20)
MOLIÈRE, *Les Fourberies de Scapin* (3)
MOLIÈRE, *Trois courtes pièces* (26)
Charles PERRAULT, *Contes* (9)
Jacques PRÉVERT, *Paroles* (29)
Jules VALLÈS, *L'Enfant* (12)
Paul VERLAINE, *Fêtes galantes* (38)
Jules VERNE, *Le Tour du monde en 80 jours* (32)
Oscar WILDE, *Le Fantôme de Canterville* (22)

Lycée

La poésie baroque (anthologie) (14)
Honoré de BALZAC, *La Peau de chagrin* (11)
Charles BAUDELAIRE, *Les Fleurs du Mal* (17)
Gustave FLAUBERT, *Madame Bovary* (33)
Sébastien JAPRISOT, *Un long dimanche de fian-
  çailles* (27)
Pierre Choderlos de LACLOS, *Les Liaisons dange-
  reuses* (5)
Jean de LA BRUYÈRE, *Les Caractères* (24)
Madame de LAFAYETTE, *La Princesse de Clèves* (39)
MARIVAUX, *L'Île des esclaves* (19)

Composition Bussière
Impression Novoprint
à Barcelone, le 17 mars 2005
Dépôt légal: mars 2005
1ᵉʳ dépôt légal dans la collection: août 2004

ISBN 2-07-031696-3./Imprimé en Espagne.